Clones en stock

ISBN 10 : 2-7459-0214-8
ISBN 13 : 978-2-7459-0214-6

Pascale Maret

Clones en stock

Pour Louise,
à défaut de lui offrir un chien

1

Le domaine de la Belle Santé

Pendant longtemps, c'est-à-dire pendant les douze premières années de ma vie, j'ai vraiment cru qu'il n'existait pas sur Terre d'endroit plus merveilleux où vivre que le domaine de la Belle Santé. Il faut dire que je n'avais pas de véritable point de comparaison, puisque je n'en étais jamais sorti. Et, jusqu'à ce que le babou Virian commence à m'expliquer certaines choses, je n'avais qu'une idée très, très vague du monde extérieur. Mais ça ne me manquait pas car, d'une certaine façon, j'étais très heureux au Domaine.

Jusqu'à l'âge de trois ans, j'ai vécu à la Nurserie, mais je n'en ai aucun souvenir. Puis on m'a transféré au Jardin des Juniors. Et la belle vie a commencé. Au

Domaine, tout était fait pour que les enfants grandissent sans problèmes. Le matin, la mouna Alisa entrait dans la chambre bleue où je dormais avec Un, Deux, Trois et Cinq (moi, j'étais Quatre) et nous réveillait en douceur. Elle s'occupait de nous, les Bleus, jusqu'à l'heure de la sieste. C'était ma mouna préférée, mais j'aimais bien aussi celles de l'après-midi. La mouna Alisa nous servait notre petit déjeuner et nous conduisait au contrôle médical. Ensuite elle nous confiait à un babou qui nous entraînait aux jeux du corps et de l'esprit. Au repas de midi, chacun avait sa ration personnelle, exactement ajustée à ses besoins. Après la sieste et l'analyse sanguine, nous partions pour une grande promenade entrecoupée d'exercices de santé. Puis nous prenions un repas avant de rejoindre la chambre bleue. Il y avait d'autres groupes que le nôtre, installés dans des dortoirs voisins : les Rouges, les Verts, les Jaunes, les Violets et les Bruns. Nous, les Bleus, nous partagions souvent nos activités avec les Jaunes, et je m'entendais particulièrement bien avec Trois Jaune. En revanche, je me souviens de fréquentes disputes avec Deux Vert et Quatre Brun.

Cette vie confortable, rigoureusement organisée et paisiblement monotone, où tous les jours semblaient le même jour, faisait de nous des enfants au corps bien développé, à la santé resplendissante et au caractère tranquille. Les mounas et les babous s'occupaient de nous avec gentillesse et fermeté, nous fournissant les soins et l'éducation nécessaires. Jamais ils ne s'énervaient contre nous, ne criaient ni ne manifestaient la moindre colère. Jamais non plus ils ne nous témoignaient de véritable intérêt ou de tendresse. Tendresse ou colère sont des émotions que je n'ai découvertes que plus tard, lorsque le destin m'a arraché au confort de ma vie au Domaine. Mais pendant ces années d'enfance, mes sentiments étaient anesthésiés par une sensation de bien-être permanent et je n'avais pas la moindre notion des tumultes du cœur.

Quand j'ai eu douze ans, on m'a annoncé, ainsi qu'à mes camarades de la chambre bleue, que nous allions quitter le Jardin des Juniors pour le Pavillon des Jeunes. Les Verts, qui étaient un peu plus grands que nous, en avaient fait autant un an auparavant. Nous savions que c'était le cours naturel de la vie : on passait de la Nurserie au Jardin, du Jardin au Pavillon des Jeunes, puis du Pavillon au Palais des Matures. Ce qu'il y avait avant la Nurserie et après le Palais des Matures restait pour nous mystérieux. Les babous nous avaient expliqué que le Grand Architecte du Domaine fabriquait des bébés dans son laboratoire et que nous lui devions la vie. Quand le cycle de l'existence s'achèverait dans le Domaine, ce serait alors le Grand Sommeil. Voilà tout ce que nous connaissions de notre destinée. Pourquoi le Grand Architecte nous avait-il créés ? Quel était le but de notre existence ? Nous n'en avions pas la moindre idée et, à vrai dire, peu nous importait. Je me suis depuis rendu compte que, dans le monde extérieur, les hommes n'ont généralement pas plus de réponses à ces questions.

Mais moi, j'allais bientôt connaître la vérité sur les raisons de mon existence. Des raisons tout à fait simples, précises et… terribles.

2

Le babou Virian

La vie dans le Pavillon des Jeunes ressemblait beaucoup à celle que j'avais connue au Jardin des Juniors. La principale différence était qu'il n'y avait plus de mounas pour s'occuper de nous, mais uniquement des babous. Nous avions l'habitude de ne pas nous poser de questions et nous avons accepté ce changement sans chercher à comprendre. Pourtant, une vague inquiétude commençait à s'emparer de moi. Je ressentais une sorte d'insatisfaction qui me donnait de brusques envies de pleurer que j'avais beaucoup de mal à contrôler. La mouna Alisa et Trois Jaune me manquaient. Leur perte éveillait en moi des émotions étranges que je ne savais pas identifier et que j'ai appris plus tard à nommer : tristesse, besoin d'affection, sentiment de la solitude. Je n'avais plus très envie de participer aux jeux organisés par les babous, je faisais mes exercices de santé à contrecœur, je ne chahutais plus avec mes camarades, même mon appétit s'en ressentait. Le responsable du contrôle médical a commencé à s'inquiéter. Il a vérifié toutes mes biopuces électroniques, étudié les variantes de mon suivi personnel et il m'a prescrit de nouveaux alicaments, ces aliments-médicaments qui nourrissent et soignent en même temps. Mais, malgré les vitamines, je ne me sentais pas vraiment mieux.

Et puis le babou Virian est arrivé au Pavillon pour nous faire l'entraînement du corps l'après-midi. Il était plutôt petit et mince, avec des cheveux châtains qui bouclaient et des yeux vifs. Au début, je n'ai pas fait très attention à lui : ce n'était qu'un autre babou parmi la demi-douzaine qui s'occupaient de nous, et de toute façon je ne m'intéressais à rien. Mais lui a fait attention à moi, peut-être justement parce qu'il a perçu ma tristesse. Non seulement il l'a perçue, mais il l'a comprise. Un jour, après l'entraînement, pendant que les autres jouaient à s'éclabousser sous la douche, il s'est approché de moi. J'étais assis dans un fauteuil, enroulé dans un drap de bain. Je n'avais même pas assez d'énergie pour prendre des vêtements et m'habiller. Le babou Virian a posé sa main sur mon épaule et m'a dit d'une voix très douce :

– Alors, Quatre Bleu, tu ne te sens pas bien ?

Cette question, on me l'avait posée bien des fois au cours des dernières semaines, mais lui a ajouté :

– Le Jardin des Juniors te manque ? Tu te sens seul ?

Au Domaine, je l'ai dit, il n'était jamais question de sentiments. Alors, à l'entendre me parler ainsi, je me suis senti tout secoué. Pour la première fois, j'ai échangé un vrai regard avec lui. Il y avait dans ses yeux une chaleur, une douceur qui m'étaient tout à fait inconnues et qui ont remué en moi une émotion étrange. J'ai voulu lui répondre, mais les autres Bleus sont sortis de la douche et nous avons repris les activités prévues.

À partir de ce jour, ma vie a commencé à changer. J'attendais avec impatience l'entraînement de l'après-midi pour retrouver le babou Virian. Devant les autres, il ne me manifestait aucune attention particulière. Pourtant, chaque fois que nos yeux se croisaient, je sentais passer le même courant de chaleur que le jour où il m'avait parlé. Et c'était comme si la petite étincelle née de ces regards éveillait peu à peu mon esprit engourdi, en jetant sa lueur dans l'obscurité de ma conscience. Je me suis mis à réfléchir beaucoup.

Des questions folles me tournaient dans la tête jour et nuit : existait-il d'autres domaines semblables au nôtre ? L'extérieur était-il totalement différent ? Les babous et les mounas étaient-ils eux aussi passés par la Nurserie, le Jardin des Juniors ? Où allaient-ils exactement quand ils nous annonçaient : « Je pars me reposer, à demain » ? Et pourquoi, en quittant le Jardin des Juniors, nous avait-on séparés des Jaunes, qui étaient des filles, alors que nous, les Bleus ou les Verts, étions des garçons ?

Toutes ces interrogations me rendaient fou : mon abattement avait fait place à une sorte d'excitation fiévreuse. Le bioélectronicien du contrôle médical mettait tout cela sur le compte de mon âge : je grandissais, mon corps changeait, cela pouvait suffire à expliquer ces petites perturbations.

Jamais cependant je n'aurais pensé à interroger le babou Virian sans la brusque disparition de Deux Vert. Nous étions en train de déjeuner lorsque le babou Arvor est venu le chercher en hâte pour l'emmener, nous a-t-il dit, dans un autre domaine. Par la fenêtre, nous les avons aperçus qui montaient dans un des glisseurs ultrarapides que les babous utilisaient parfois. Et nous n'avons plus jamais entendu parler de Deux Vert. Cette disparition a ravivé toutes mes questions sur ce qui se passait vraiment dans le Domaine et à l'extérieur. Alors, au cours d'une promenade, je me suis arrangé pour me trouver un peu à la traîne à côté du babou Virian et j'ai dit sans le regarder :

– Babou, j'aimerais te demander quelque chose…

3

Des parents, des chiens, des villes

Il a fallu bien des promenades, bien des moments volés de-ci de-là à l'entraînement du groupe. Mais, bribe par bribe, le babou Virian m'a livré les réponses stupéfiantes à mes innombrables questions.

Le plus grand choc pour moi a été d'apprendre que dans le monde extérieur les enfants naissent d'un homme et d'une femme, qu'on appelle « père » et « mère ». Cette histoire de cellules mâle et femelle qui fusionnent pour donner un nouvel être, ce bébé poussant dans un ventre, ces parents accueillant leur enfant comme une merveille, l'élevant, le chérissant, tout cela me paraissait incroyable.

–Essaie d'imaginer, me disait le babou Virian, ce que ce serait d'avoir un seul babou, une seule mouna pour toi, toute ta vie.

–Pour moi tout seul?

–Pour toi tout seul, ou aussi pour tes frères et sœurs, si tu en avais.

–C'est quoi, «frère et sœur»?

Et le babou Virian essayait de m'expliquer en peu de mots, tandis que le groupe des Bleus se rapprochait de nous en poussant de grands cris.

Il m'a fallu du temps pour assimiler cette première notion dont rien au Domaine n'aurait pu me donner le pressentiment. Je n'avais même pas eu l'occasion de voir d'animaux donner naissance à des petits, car ces créatures porteuses de maladies étaient proscrites du Domaine. Là encore, j'ai dû avoir recours à mon imagination pour me représenter les différents animaux que me décrivait le babou Virian. Celui qui me posait le plus de problèmes était le chien.

–Mais enfin, Babou, c'est gros ou c'est petit, un chien?

–Eh bien, certains sont assez petits pour dormir sur ton oreiller, d'autres occuperaient tout ton lit.

–Et les oreilles, elles sont comment?

– Les oreilles ? Parfois elles sont pointues et dressées, parfois longues et retombantes.

– Et les poils ? Ils sont longs ou courts ? Raides ou frisés ?

– Ça dépend des chiens.

– Mais alors, Babou, comment on peut reconnaître un chien ?

– Hum… Eh bien, ils font tous « ouah ! ouah ! » et ils mordent pour attaquer.

J'avais du mal aussi à me représenter l'immensité du monde extérieur, divisé en quatre grandes zones : Euroland, la nôtre, puis Asialand, Africaland et Américaland, chacune avec ses villes, ses réserves de nature, et la foule innombrable qui la peuplait.

– Mais je t'assure, essayait de m'expliquer le babou Virian, la vie dans le monde extérieur n'est pas si désagréable, même dans les complexes urbains. Bien sûr, le travail est souvent dur et le décor n'est pas toujours bien beau, mais on peut se promener, voyager de ville en ville en prenant le turbotube ou une navette aérienne, aller dans les réserves, se retrouver entre amis pour boire un verre, discuter…

– Discuter comme nous deux ?

– Oui, comme nous.

– Alors, on est amis nous deux ?

– Oui, Quatre Bleu, on est amis.

– J'aimerais bien que tu sois mon père, Babou Virian.

– Ça, c'est impossible, mais je suis ton ami.

– Mais pourquoi tu n'es pas comme les autres babous ?

– Ça aussi, je t'expliquerai. Un autre jour.

J'étais fasciné par tout ce que me racontait le babou Virian. Je ne me lassais pas de l'entendre décrire les rues, les files de glisseurs sur les autopistes, les magasins (j'ai eu du mal à comprendre ce qu'était l'argent, et pourquoi il fallait « acheter » les choses, moi qui au Domaine disposais de tout le nécessaire sans m'interroger sur sa provenance), les réunions de famille.

– Et tu as une famille, toi, Babou ?

– J'avais une mère, mais elle est morte l'année dernière.

– Et elle te manque, alors ?

– Oui, elle me manque.

Toutes ces évocations du monde extérieur m'avaient fait perdre de vue mes questions premières. Cependant, lorsque ma curiosité concernant ce qui se trouvait hors du Domaine a été à peu près apaisée, je suis revenu aux interrogations concernant ma propre vie.

4

L'incroyable vérité

– Mais, Babou Virian, pourquoi nous, les enfants du Domaine, nous n'avons pas de père ni de mère ? Pourquoi c'est le Grand Architecte qui nous a fabriqués ? Qui donne l'argent pour notre nourriture et pour le reste ? Et pourquoi on existe, puisque personne ne nous aime ?

J'avais tourné et retourné toutes ces questions dans ma tête avant de les poser au babou Virian, et choisi un moment où j'étais sûr qu'on ne serait pas dérangés. Le babou Virian n'a pas paru surpris, seulement très embêté.

– Bon, a-t-il fini par dire, je crois que tu as droit à la vérité. Mais je te préviens, ce que je vais te révéler est dur, très dur. Voilà, écoute bien, c'est compliqué :

« Il y a une cinquantaine d'années, vers 1990, des scientifiques ont découvert un nouveau moyen de créer les êtres vivants. Normalement, comme je te l'ai expliqué, il faut qu'une cellule mâle et une cellule femelle s'unissent pour donner naissance à une nouvelle vie. Mais on s'est aperçu qu'on pouvait aussi prélever une cellule sur un être, un seul, et multiplier cette cellule de base pour construire un nouvel être, sorte de réplique du premier. Ce qu'on pourrait appeler un double, un jumeau, et pour lequel les scientifiques ont inventé le terme de clone. D'abord on a fait ça avec des animaux, puis très vite on a réussi l'expérience sur des humains. Au départ, il fallait tout de même que l'embryon se développe dans le ventre d'une mère porteuse, mais ensuite on a mis au point une technique qui permettait de remplacer le ventre maternel par une poche de silicone contrôlée en laboratoire. Tout ça a entraîné pas mal de remises en question, entre autres au niveau de la famille : l'être de base qui a fourni la cellule de départ du clone n'est en effet ni son « père » ni sa « mère », mais ce qu'on appelle désormais un « original ». Ce procédé est tellement perturbant pour l'espèce humaine qu'il a été très vite interdit, sauf cas exceptionnel.

J'ai interrompu le babou Virian :

– Alors moi, je suis un clone ? C'est ce que tu avais à me dire ? Et tous les autres au Domaine aussi ?

– Oui, tu es un clone, et les autres aussi.

– Mais pourquoi ? Et où est mon original ?

Le babou Virian a pris un air encore plus grave :

– Vois-tu, dans le monde extérieur les gens mènent une vie moins saine et moins protégée qu'au Domaine. Ils sont parfois victimes de maladies ou d'accidents. Ils ont alors besoin de remplacer une partie de leur corps qui est endommagée ou qui ne fonctionne plus. En théorie, les médecins savent très bien faire cela : remplacer un cœur, un rein ou une main. On appelle ça une greffe. Le seul problème, c'est qu'il est très difficile de trouver des organes de remplacement. Alors, grâce à la découverte du clonage, des gens ont eu une idée horrible : se faire fabriquer leur double, ou celui de leurs enfants, pour être sûrs d'avoir toujours des organes de rechange à leur disposition.

En entendant ça, je me suis vraiment senti mal. Je n'osais pas encore bien comprendre. Le babou Virian lui-même s'était arrêté de parler, la vérité était trop dure.

J'ai fini par lui demander d'une petite voix :

– Tu veux dire que moi et les autres, au Domaine, on est des réserves d'organes, au cas où notre original en aurait besoin ? C'est pour ça qu'on existe ?

Il m'a regardé avec gêne et compassion :

– Oui, tu as bien compris.

– C'est pour ça alors qu'on a plein de biopuces sur le corps, qu'on surveille sans cesse notre santé, qu'on nous nourrit bien, qu'on nous fait faire les exercices du corps ? Pour que tous nos organes restent en parfait état de marche ?

J'avais commencé à pleurer et à crier, sans même m'en rendre compte.

– C'est pour ça qu'on nous garde ici, au bon air, loin du monde extérieur pollué et dangereux ? C'est pour ça que les mounas ont veillé sur notre sommeil de bébé, que les babous entretiennent notre bonne humeur ? Pour qu'un jour, si notre original a le cœur qui lâche ou se fait couper une main, on puisse lui fournir une pièce de rechange parfaite ?

– Calme-toi, calme-toi. C'est horrible, je sais, mais…

Tout à coup une idée affreuse m'est venue à l'esprit :

– Mais alors, le jour où on a emmené Deux Vert, c'était pour ça ? Pour lui prendre un morceau de lui et le greffer à son original ? C'était quoi, quel morceau ? Et où il est maintenant ?

– Deux Vert n'a pas eu de chance. Je crois que son original a eu un grave accident. Il a fallu remplacer plusieurs organes vitaux. Deux Vert a dû être sacrifié.

Je pleurais et je tremblais. Le babou Virian m'a pris dans ses bras et m'a murmuré :

– Ne t'inquiète pas. Il ne t'arrivera rien. Je suis là. Je vais t'aider.

Au bout d'un moment, je me suis un peu apaisé. J'avais encore d'autres questions :

– Mais comment c'est possible ? Tu m'as dit tout à l'heure que c'était interdit de faire ça !

– Bien sûr, mais les gens très riches et puissants se débrouillent pour contourner la loi et protéger l'existence clandestine des domaines.

Je me suis tout à coup dégagé de l'étreinte du babou, une colère terrible montait en moi :

– Mais toi, Babou, tu n'as pas l'air d'accord, tu as l'air de trouver tout ça monstrueux, et pas du tout tolérable... Alors, pourquoi tu as accepté de venir travailler au Domaine ? Pour l'argent, comme les autres ? Et pourquoi tu m'as raconté tout ça ? Tu aurais mieux fait de te taire, de continuer à me raconter les mêmes histoires que les autres ! À quoi ça sert de m'avoir dit tout ça ? À me rendre à moitié fou ? Laisse-moi, lâche-moi !

Et je suis parti en courant.

5

L'histoire du babou Virian

J'en ai d'abord terriblement voulu au babou Virian. Je sentais bien qu'il m'avait dit la vérité, mais il a fallu plusieurs jours avant que je puisse l'accepter. Ma colère a alors fait place à une sorte de soulagement. Je préférais savoir ce qu'il en était. En fait je me sentais mieux. Et je commençais à me dire que mon destin pouvait être changé et que je n'étais pas forcément obligé de vieillir au Domaine en attendant le jour où mon original aurait besoin de renouveler une partie de ses organes.

Il me restait encore un point à éclaircir avec le babou Virian, qui cette fois le concernait. Il ne m'en avait pas voulu de ma réaction, qu'il comprenait très bien. Mais les occasions de parler seul à seul étaient rares et un peu de temps s'est écoulé avant que nous puissions reprendre nos discussions. Un jour où l'on m'avait dispensé d'exercices du corps en raison d'un rhume, j'ai enfin pu aller le trouver.

–Babou Virian, il y a encore une chose que tu ne m'as pas expliquée : tu travailles ici, et pourtant tu n'es pas comme les autres. Tu t'es intéressé à moi, tu m'as raconté la vérité sur le Domaine et tu m'as parlé du monde extérieur… Pourquoi ?

Il a hésité :

–Bah, je t'en ai déjà trop dit de toute façon. C'est vrai, je ne suis pas comme les autres employés du Domaine. J'ai été envoyé par un groupe de gens qui veut mettre fin à cette utilisation monstrueuse du clonage. Je suis chargé d'enquêter sur le Domaine, afin de permettre un jour sa destruction, et celle des lieux similaires partout en Euroland. Malheureusement, comme je te l'ai dit, très peu de personnes soupçonnent l'existence des domaines de clones en dehors des commanditaires, qui sont très puissants et possèdent des appuis au sein même du gouvernement. Chaque fois que nous avons essayé de dévoiler la vérité, on nous en a empêchés, on nous a traités de fous ou de menteurs. Les preuves sont très difficiles à fournir, le mystère est bien protégé.

Il est en effet pratiquement impossible pour nous de pénétrer dans un domaine.

– Jamais un employé n'a trahi le secret ?

– Non. Seuls le directeur, son adjoint, les bioélectroniciens et les médecins, plus quelques livreurs, viennent du monde extérieur, et ils sont payés très cher pour leur discrétion. Tous les autres employés du Domaine, y compris les babous et les mounas, sont des clones. Certains ont été fabriqués en surnombre dans le but précis de travailler au Domaine, d'autres sont des clones dont l'original est décédé. Dans tous les cas, ils n'ont pas plus d'idées que tu n'en avais sur le monde extérieur et sur leur origine. En outre, ils ont été soumis à une manipulation génétique qui leur a ôté toute pulsion sexuelle. Ainsi ils ne risquent pas de donner naissance à leurs propres enfants.

– Mais toi, Babou, tu viens du monde extérieur, tu as eu une mère, alors comment as-tu réussi à venir travailler ici ?

– Eh bien, parce que… moi aussi, je suis un clone.

– Toi ?

– Regarde, tu vois cette biopuce à la base de mon cou ? La même que la tienne. C'est notre marque distinctive à nous. On ne peut nous l'ôter sous peine d'endommager irrémédiablement notre organisation génétique. Je suis un clone, comme toi. Mais j'ai eu, si l'on peut dire, de la chance. Mon original est mort accidentellement à l'âge de trois ans. Ma… enfin, sa mère, qui était veuve et très anxieuse à son sujet, s'était débrouillée pour le faire cloner dès sa naissance. Le clonage humain était en principe déjà interdit, mais des réseaux clandestins commençaient à se développer. Je suis donc venu au monde, moins d'un an après mon original, dans un des premiers domaines. À la mort de son fils, ma mère m'en a retiré pour que je le « remplace ».

– Mais toi, Babou, tu savais la vérité ?

– Non, pas du tout. J'étais un bambin de deux ans lorsque j'ai pris la place de mon original. Ensuite ma mère ne m'a jamais rien dit, jusqu'à l'année dernière. Peu avant de mourir, elle m'a tout révélé. Comme tu peux l'imaginer, ça a été pour moi un rude choc. J'ai alors décidé de lutter contre les domaines. Le Groupe anti-clonage humain, le GACH, m'a accueilli à bras ouverts : j'étais en effet le seul à pouvoir m'introduire dans un domaine secret, du fait de ma condition de clone. Depuis longtemps, le GACH surveillait le domaine de la Belle Santé. Lorsqu'un de nos informateurs a appris qu'un nouveau babou, venant d'un domaine récemment fermé, devait y être transféré, le GACH a réussi à me substituer à lui durant le transport. C'est comme ça que je suis arrivé ici sous le nom de Babou Virian. Depuis, j'étudie l'organisation du Domaine et son système de sécurité. J'espère avoir bientôt terminé car j'ai hâte de retrouver le monde extérieur, et en particulier Nina, ma fiancée. Mais je n'avance pas vite car j'ai très peu de temps à moi et guère de liberté de mouvement. Et puis c'est vrai que je t'ai consacré beaucoup de mes instants disponibles, Quatre Bleu, au lieu de penser à ma mission. Les responsables du GACH seraient furieux s'ils savaient quels risques j'ai pris avec toi. Je n'aurais jamais dû...

– Pourquoi tu l'as fait, alors ?

– Je ne sais pas. Tu n'étais pas vraiment comme les autres petits clones du Domaine. Tu n'avais pas en permanence cet air d'imbécile heureux qui semble les caractériser, tu paraissais chercher quelque chose... J'ai eu envie de t'aider, t'aider à devenir véritablement humain.

Le babou s'est tu. J'ai pris sa main et je l'ai serrée d'un geste rapide. Déjà les autres Bleus revenaient de l'exercice. J'ai juste eu le temps de demander :

–Mais alors, tu ne t'appelles pas vraiment Babou Virian ?

–Non, je m'appelle André, comme le père de ma mère.

6

La fuite

Il m'a fallu encore du temps pour digérer toutes ces révélations. Bien des fois le babou Virian, ou plutôt André, a dû reprendre patiemment ses explications ou les compléter. Peu à peu j'ai appris à accepter la nouvelle vision de l'existence qu'il m'avait dévoilée. Le Domaine n'était plus le paradis qu'il avait représenté pour moi jusqu'alors: c'était une prison. Et en regardant jouer mes camarades sains, joyeux et bien nourris, je ne voyais parfois qu'un assemblage inconscient d'organes de rechange susceptible d'être démantelé à la première occasion, des condamnés en sursis, totalement aveugles à leur destin. Plus d'une fois j'ai été tenté de leur parler, de leur expliquer à mon tour ce que j'avais appris, mais je n'en ai pas eu le courage. J'étais sûr d'ailleurs qu'ils ne m'auraient pas cru, peut-être même pas écouté.

Mes pensées n'étaient en fait plus vraiment avec eux, mon esprit s'échappait du Domaine et du présent. Je ne pensais plus qu'au monde extérieur et à l'avenir. J'aurais voulu m'y précipiter. Mais André me calmait et m'exhortait à la patience: dans quelques mois son enquête serait terminée, il contacterait les responsables du GACH et le Domaine ferait l'objet d'une procédure exemplaire.

Devant les preuves qu'il était en train d'accumuler, le scandale du clonage humain éclaterait enfin au grand jour et les hommes politiques seraient bien obligés d'agir.

Les semaines ont passé, l'été touchait à sa fin.

Un matin, bien avant l'heure du lever, la voix d'André m'a soudain tiré du sommeil:

–Quatre Bleu, réveille-toi! Chut!

Les autres Bleus n'avaient pas bougé. Je me suis dressé brusquement sur mon lit. Que venait faire André à cette heure si inhabituelle? Et pourquoi cet air affolé?

–Ne fais pas de bruit! Lève-toi vite! m'a-t-il soufflé.

J'ai vu à sa tête qu'il se passait quelque chose de grave. J'ai enfilé en vitesse mes vêtements de jour et j'ai suivi André hors de la chambre.

– Mais André, qu'est-ce qu'il y a ?

Au lieu de me répondre, il m'a entraîné au fond du couloir, et m'a poussé dans la lingerie.

– Écoute-moi bien, m'a-t-il dit alors. Nous avons très peu de temps. Tu dois partir d'ici, quitter le Domaine, tout de suite ! J'ai appris hier soir, à la réunion des babous, que tu devais être transféré aujourd'hui vers un autre centre. Tu sais ce que cela signifie.

– Ils veulent me tuer pour donner des organes à mon original, c'est ça ?

– Je ne sais pas exactement, je n'ai pas encore réussi à avoir accès à ton dossier. Ils veulent te prendre un organe, c'est à peu près sûr. Pas forcément un organe vital, mais tu ne peux pas courir le risque, il faut partir !

Alors là, j'ai vraiment senti la panique m'envahir :

– Mais comment ? Et où ? André !

– Il est possible, je crois, et même assez facile, de sortir du Domaine. Depuis quatre mois j'ai bien étudié les systèmes de sécurité et cette nuit j'ai eu le temps de réfléchir au meilleur moyen de fuir. Si on avait pu attendre demain, je t'aurais fait partir avec le camion d'approvisionnement… mais on ne peut pas attendre. Alors tu partiras avec le camion des déchets.

– Avec les déchets ? me suis-je écrié, horrifié.

– Ce n'est pas le plus agréable, mais je pense que ce sera plus facile pour toi de t'échapper à l'arrivée. Et puis, rassure-toi, je vais te mettre dans le conteneur à plastiques, pas dans celui des verres ou des déchets organiques.

– Mais, tu peux pas venir avec moi ? Comment je vais faire après ? Où je vais aller ?

– Essaie de te calmer. Je ne peux pas venir avec toi, il faut que je finisse mon enquête ici. Mais quelqu'un t'aidera. J'ai pu contacter un ami. Je lui ai expliqué qui tu es, je lui ai même transmis ta photo. Il s'appelle Sam, il travaille à la Direction du recyclage et c'est un champion de l'électronique. Il va se débrouiller pour glisser un superbogue dans le système informatique de l'usine de traitement où se rend le camion des déchets. Ça devrait semer une belle pagaille et tu pourras en profiter pour t'échapper. J'ai noté l'adresse de mon ami sur ce bout de papier. Il habite dans le complexe urbain de Gayon, pas très loin de l'usine. Il s'occupera de toi, n'aie pas peur. Tu peux prendre le turbotube qui relie l'usine de déchets à Gayon. Il y a des wagons pour passagers en plus des conteneurs. Tu te souviens, je t'ai parlé du turbotube. Pour monter, tu dois glisser ta carte magnétique devant le lecteur…

– Mais j'en ai pas, de carte.

– Oui, je sais. En voilà une, elle n'est plus très chargée, mais ça devrait te permettre d'aller jusqu'à Gayon, et aussi de t'acheter un peu à manger là-bas, si jamais tu en avais besoin. Malheureusement, tu ne pourras pas la recharger à une borne bancaire car c'est une carte à sécurité personnelle et seules mes empreintes sont valables. De toute façon, le mieux c'est que tu te rendes directement chez Sam. Tu descendras du turbotube à la station Palais-des-Arts. Tu te souviendras ? Après ça, sors le papier où je t'ai noté l'adresse de Sam et demande à n'importe qui dans la rue de t'indiquer où c'est. Ça se trouve tout près de la station. Ne traîne pas dans les rues, car il semble que ton original habite lui aussi Gayon et il vaut mieux que tu ne te fasses pas repérer… D'accord ? Tu as compris ?

J'étais complètement affolé. Je n'avais rien compris du tout. André a repris ses explications, et cette fois j'ai essayé de bien retenir ses indications. Mon esprit était plus clair et j'ai eu une idée :

– Dis, André, et ton organisation, le GACH… Ils pourraient pas m'aider, eux ?

– J'y ai pensé, bien sûr. À dire la vérité, je les ai même contactés en premier. Mais ils sont opposés à ton évasion. Ils ne veulent pas que je coure le risque d'être démasqué en t'aidant. Ils m'ont recommandé de ne rien faire.

– Mais tu le fais quand même !

– Je suis ton ami, non ?

Il m'a serré dans ses bras et j'ai dû me retenir très fort pour ne pas pleurer.

– Allez, Quatre Bleu, a dit André. Il faut se dépêcher. Le camion ne va pas tarder à arriver. Ne t'inquiète pas, a-t-il ajouté en sentant que je m'accrochais à lui, tout ira bien. Dès que j'aurai fini mon enquête, dans quelques semaines, je pense, j'irai te retrouver chez mon ami. Et après ça, je ne te laisserai pas tomber, tu peux en être sûr. Viens maintenant, pressons-nous !

On est descendus dans la cour. Tout était encore paisible au Domaine, personne n'était réveillé. Il faisait à peine jour. Les arbres de la cour se détachaient sur le ciel pâle, l'herbe des terrains de jeux était douce à l'œil. Un peu plus loin le ruisseau glougloutait au fond du vallon. Je regardais tout ça en pensant à ce qu'André m'avait raconté sur les complexes urbains et j'ai presque eu envie de rester au Domaine tout à coup. Mais je ne pouvais pas rester. Si je ne grimpais pas dans le camion des déchets, c'est un glisseur ultrarapide qui m'emporterait vers… vers quelque chose que je préférais ne pas imaginer.

J'ai suivi André jusqu'au local des déchets. Il m'a aidé à me glisser dans le conteneur, sur le tas de feuilles de plastique compacté. Je me suis allongé en m'aplatissant autant que possible et il m'a recouvert d'une autre feuille. Le conteneur était juste assez grand pour moi. Il a cassé un bout du couvercle, sur l'arrière, pour que je puisse avoir de l'air.

–Bon, il va falloir que je te laisse, m'a dit André. Dès que tu sentiras que le conteneur est descendu du camion, soulève légèrement le couvercle et guette le moment où personne ne regarde pour sauter. Avec la pagaille informatique que Sam va mettre dans l'usine, tu devrais pouvoir sortir sans trop de problèmes. Ce genre d'usine n'est pas très surveillé. Si jamais des ouvriers te voyaient, dis-leur que tu as voulu t'enfuir de chez toi, mais que maintenant tu regrettes et que tu veux rentrer à Gayon. Montre-leur l'adresse de Sam, ils t'aideront sûrement. Les gens de l'extérieur ne sont pas tes ennemis, tu n'as rien à craindre en principe. Si tu peux sortir d'ici, tu es sauvé. Bonne chance, Quatre Bleu. Je me connecterai à Sam cette nuit pour savoir si tout s'est bien passé. À bientôt.

J'ai répondu d'une voix tremblante, étouffée par la feuille de plastique et le couvercle du conteneur :

– À bientôt.

Puis après quelques secondes, j'ai appelé :

– André !

Mais il était déjà parti.

7

Adieu le Domaine, bonjour le monde !

J'avoue que je n'en menais pas large, dans mon conteneur à plastiques. L'inconfort de la situation n'était rien, c'était l'inconnu à venir qui me terrifiait. J'avais beau avoir, depuis des mois, rêvé du monde extérieur en écoutant tout ce que m'en disait André, je me rendais bien compte que la réalité serait très différente de ce que j'avais imaginé.

Un bruit de moteur m'a fait prendre conscience d'un danger plus immédiat : et si l'employé soulevait le couvercle de mon conteneur ? S'il m'apercevait, malgré la feuille de plastique qui me recouvrait ? La porte s'est ouverte, des pas se sont approchés, une première poubelle a été hissée avec un doux sifflement sur l'élévateur magnétique, puis un moment après c'était mon tour de me sentir soulevé. Le coussin magnétique m'a déposé dans le camion.

Une fois le chargement terminé, la porte arrière du camion s'est refermée, le véhicule a ronronné doucement et s'est mis en route. L'odeur douceâtre des déchets organiques émanant d'un conteneur voisin a commencé à devenir vraiment envahissante ; j'ai senti la nausée me gagner. Les secousses n'arrangeaient rien. Le camion a roulé ainsi un moment, puis s'est arrêté. J'ai compris qu'on devait être arrivés au portail du Domaine, c'est-à-dire déjà assez loin des bâtiments et des terrains de jeux. Je n'avais vu le portail que de loin, et toujours fermé, lors de nos promenades, et aujourd'hui j'étais en train de le franchir. Le camion s'est remis à rouler, cette fois sans heurts et sans secousses : nous étions sur la piste extérieure, nous étions dehors !

Je tremblais d'excitation. J'ai palpé pour me rassurer le petit sac qu'André m'avait donné : il contenait la carte magnétique de ressources qui me permettrait d'accéder au turbotube, le papier où était notée l'adresse de son ami Sam et quelques comprimés d'alicaments. Je commençais d'ailleurs à avoir faim, malgré l'odeur écœurante. Ce serait bientôt l'heure du lever au Domaine. Dans les cuisines, on devait déjà préparer ma ration selon les indications de mon dernier bilan nutritionnel. Seulement aujourd'hui, il n'y aurait personne pour la manger. Les Bleus avaient perdu leur numéro Quatre. Quel affolement quand on découvrirait ma disparition ! En imaginant la scène, j'ai tout à coup réalisé quel risque terrible André avait pris. Si jamais le Domaine découvrait qu'il était à l'origine de mon évasion, que lui ferait-on ? Personne apparemment ne s'était rendu compte des liens que nous avions réussi à tisser, lui et moi, et cela me tranquillisait un peu. Cependant, si on soupçonnait... Heureusement, André était malin et savait agir vite, je venais d'en avoir la preuve. Et ce soir il se connecterait à Sam et je serais rassuré sur son sort, comme lui sur le mien.

Tout à coup le camion a ralenti, s'est arrêté, est reparti lentement. Il devait être arrivé à l'usine de traitement des déchets. Il fallait que je me tienne prêt. Après quelques manœuvres, le ronronnement du moteur s'est tu. J'entendais des bruits de voix, des cris, mais trop assourdis pour que je puisse distinguer les paroles. Enfin les portes du camion se sont ouvertes.

– Faut quand même que j'décharge tout ça, bogue ou pas bogue, a grondé une voix. Et où je vais le mettre, alors ?

– Attends un peu, bon sang ! a crié une autre voix. Tu vois bien que tout le système est bloqué pour le moment. On a déjà quarante-huit conteneurs en attente. Il faudra peut-être que tu ailles au centre de Lence.

– Ah ben ça non ! D'abord j'ai pas assez de gaz dans le réservoir pour aller à Lence. Et je peux refaire le plein que demain.

– Bon, ben alors attends un peu. Laisse les conteneurs dans le camion, je vais voir avec le chef si on peut te charger en gaz.

– Ouais, ben moi je vais boire un café en attendant. Ah ! là, là ! c'est pas vrai, ça, pas fichus de régler leur système informatique, tous ces glandeurs. Comme si j'avais que ça...

La voix grommelante s'est éloignée. Personne n'avait refermé les portes du camion. C'était le moment de sortir, sinon je risquais de me retrouver emmené à ce Lence dont il avait parlé, peut-être très loin. J'ai soulevé le couvercle. Je voyais un mur gris percé d'une grande porte devant laquelle s'accumulaient les conteneurs bleus, verts, orange et bruns. Quelques hommes circulaient, leur casque de micrordi sur la tête, tout en parlant à la centrale. De l'autre côté de la cour, le portail d'entrée était ouvert et un gros camion y était arrêté. Son chauffeur discutait avec le gardien à grands cris furieux.

Mon cerveau s'est mis à fonctionner à toute vitesse. Des cartons vides étaient entassés tout près. Je me suis glissé hors du conteneur, j'ai sauté à terre et j'ai empoigné un gros carton qui me dissimulait en partie. J'ai traversé le plus vite possible l'espace qui me séparait du portail, je me suis faufilé le long du camion toujours bloqué dans l'entrée, et je me suis retrouvé dehors, au bord de l'autopiste.

J'ai marché très vite, tête baissée, pendant quelques minutes, et puis j'ai ralenti, posé mon carton, et j'ai regardé autour de moi.

D'énormes camions défilaient sur la piste, et au-dessus, sur une voie suspendue, des glisseurs ultrarapides filaient sans bruit. De chaque côté se dressaient d'immenses constructions, très serrées, couvertes de capteurs à multiénergie gigantesques, bien plus grands que celui du bâtiment principal, au Domaine. Des véhicules ne cessaient d'entrer et de sortir de tous ces édifices. J'étais dans une des zones de production et d'échange qui, comme me l'avait expliqué André, entourent les centres urbains.

Où trouver l'entrée du turbotube dans ce monde si agité ? Sur le chemin des piétons, il y avait très peu de monde. Les rares personnes qui y circulaient avaient des roulettes aux pieds ou étaient assises sur de petits sièges également à roulettes. Il aurait fallu que je coure pour aller à leur vitesse et leur parler. Je me suis remis à marcher au hasard, peut-être dans la mauvaise direction. Par chance des ouvriers travaillaient au bord d'un trou plein de câbles, un peu plus loin sur le chemin. J'ai rassemblé mon courage, et je me suis approché d'eux :

– S'il vous plaît, pour prendre le turbotube, c'est où ?

Les trois hommes ont levé la tête et m'ont dévisagé. J'ai eu tout à coup très peur qu'ils s'aperçoivent de quelque chose. Mais de quoi pouvaient-ils s'apercevoir ? Je n'étais pour eux qu'un garçon comme un autre. Le plus vieux m'a répondu, l'air maussade :

– Tu continues jusqu'au passage sous piste, tu traverses, le turbotube est juste là.

Il avait un accent terrible, sans doute un homme d'Esteuroland, vu ses cheveux très blonds. J'ai remercié et j'ai repris mon chemin. Sans le savoir, j'avais suivi la bonne direction : j'y voyais le signe que le destin m'était favorable. J'ai trouvé le passage sous piste, traversé et repéré l'entrée du turbotube, surmontée de deux gros T lumineux, l'un bleu et l'autre jaune. On était au milieu de la matinée et il y avait peu de monde. J'ai observé la façon dont les gens présentaient leur carte devant la borne de contrôle, et puis j'ai fait pareil. J'ai descendu la rampe qui conduisait sous terre, suivi les panneaux direction « Gayon » et je me suis retrouvé sur le quai.

Autour de moi, les quelques personnes qui attendaient étaient pour la plupart absorbées par les activités de leur ordi intégré. Les yeux dissimulés derrière leurs visunettes, elles lisaient, travaillaient, regardaient des images. Personne ne faisait attention à moi. Le turbo est arrivé dans un long chuintement, interrompant quelques secondes les ordis intégrés des passagers. Je me suis glissé dans un wagon et j'ai pris un siège. Sur le panneau d'information j'ai compté les stations jusqu'à Palais-des-Arts, où je devais descendre : douze, j'avais le temps.

J'ai entrouvert le sac accroché à ma ceinture et à tâtons j'ai sorti deux comprimés d'alicaments : le manque de petit déjeuner commençait à se faire cruellement sentir ! Ma main a palpé la carte magnétique de ressources et le papier où était notée l'adresse de Sam ; tout était à sa place. Rassuré, j'ai refermé le sac. J'ai failli le rouvrir pour regarder l'adresse, mais je me suis soudain senti épuisé par toutes les émotions de ces dernières heures. Je sentais la torpeur me gagner, et j'ai dû lutter contre le sommeil pour garder le compte des stations qui défilaient.

8

Perdu dans Gayon

Il restait trois stations jusqu'à Palais-des-Arts. Le turbotube a ralenti, l'homme assis à côté de moi s'est levé, ses visunettes encore sur le nez, m'a bousculé au passage et a sauté sur le quai juste avant que les portes ne se referment. Je me suis frotté le visage pour me tenir bien éveillé et je me suis redressé sur mon siège : c'est alors que je me suis aperçu que mon sac avait disparu ! Ma ceinture, proprement sectionnée, pendait lâchement autour de ma taille. Quelqu'un, probablement l'homme qui venait de descendre, me l'avait volé. Mon esprit engourdi a mis quelques secondes à réaliser toute l'horreur de la situation. La perte de la carte, faiblement chargée en crédit, et celle des comprimés d'alicaments n'étaient rien, mais l'adresse, l'adresse de Sam... Si seulement je l'avais regardée avant, comme j'en avais eu l'intention ! Comment faire à présent pour le retrouver ? J'ignorais même son nom de famille. Qu'allais-je devenir ? Oh, si seulement André pouvait être là !

Dans ma panique j'ai failli laisser passer la station Palais-des-Arts. Je suis descendu précipitamment et j'ai suivi sans réfléchir les panneaux « Sortie ». Je me suis retrouvé à l'air libre, au centre d'un vaste espace planté d'arbres, probablement ce qu'on appelait une place. Tout autour de cet espace circulaient de nombreux véhicules collectifs et quelques glisseurs particuliers. L'air ne sentait pas trop mauvais. Il est vrai que, comme André me l'avait expliqué, les autorités d'Euroland avaient pris des mesures très sévères contre la pollution pour éviter que ne se reproduisent les épidémies des années 20. Malgré tout, j'avais l'impression de mal respirer, mais c'était peut-être dû à la hauteur écrasante des immeubles qui se dressaient autour de la place, ou alors à ma propre angoisse. Je me suis assis sur un banc, à l'ombre d'un arbre. C'était presque l'heure du déjeuner, il faisait chaud, et j'avais une faim terrible. J'ai essayé de réfléchir à ma situation, mais les idées se brouillaient dans ma tête. Je ne voyais aucune issue et peut-être, en effet, n'y en avait-il aucune. Comment retrouver Sam? Comment contacter André? Peu à peu ces questions se sont effacées, remplacées par une autre, d'une urgence encore plus impérieuse: où trouver à manger?

Jamais, au Domaine, je n'avais eu à souffrir de la faim: notre organisme recevait toujours l'exacte quantité de nourriture nécessaire au moment où il en avait besoin. Mon estomac était à la torture, d'autant que la place s'emplissait de gens qui, profitant de leur pause de la mi-journée et du beau soleil de cette fin d'été, venaient prendre leur repas sous les arbres.

Une petite dame s'est installée à côté de moi sur le banc, et a déplié soigneusement la feuille isolante qui entourait son déjeuner. Elle ressemblait à Deux Bleu et André m'avait expliqué que ce type de physique correspondait à des gens originaires d'Asialand, alors que les Africalandais avaient à peu près l'allure de Babou Joe. Dans le bol qu'elle a posé sur ses genoux, il y avait du riz, des légumes, et une sauce qui embaumait. J'ai dû me retenir pour ne pas plonger dedans la bouche ouverte. À coups de baguettes précis, l'Asialandaise a vidé son bol. Puis elle a sorti d'un sachet deux biscuits aux céréales. Avec effort, j'ai détourné les yeux. Enfin la petite dame s'est levée, a épousseté les miettes de sa jupe et s'est éloignée. D'un œil égaré, je l'ai vue jeter ses emballages vides dans une poubelle et disparaître derrière un bosquet.

Alors, avant même de réaliser ce que je faisais, j'ai couru à la poubelle et je me suis mis à fouiller au milieu des sacs en papier chiffonnés et des feuilles isolantes roulées en boule. J'ai fini par extraire de tous ces emballages plusieurs restes de pain, une pomme à demi croquée, un fond de paquet de céréales et un flacon de boisson vitaminée.

Les gens qui passaient près de moi me lançaient des regards dégoûtés, apitoyés ou honteux, mais j'étais hors d'état de leur prêter la moindre attention. J'ai entassé mes trouvailles dans un sac en papier et suis retourné les dévorer sur mon banc, trop heureux de pouvoir enfin me remplir l'estomac. Une fois à peu près rassasié, je me suis allongé sur le banc, les pieds au soleil. Je ne voulais plus penser à rien.

C'est la fraîcheur qui m'a réveillé. J'avais dû dormir plusieurs heures, le soleil était à présent caché par les immeubles. Il s'agissait de se secouer et de trouver une solution rapidement. J'ai essayé de rassembler mes esprits : je savais que l'ami d'André s'appelait Sam, qu'il était informaticien à la Direction du recyclage et qu'il habitait dans ce quartier. De son côté, il connaissait mon existence et même mon visage, puisque André lui avait fait passer une photo de moi et l'avait prévenu de mon arrivée.

Ma seule chance était de me poster à l'entrée des bureaux de la Direction du recyclage et d'espérer que Sam me reconnaisse. Ou alors, si j'en avais le courage, entrer dans le bâtiment et essayer de le trouver grâce à son seul prénom. De toute façon la première chose à faire était de chercher son lieu de travail. Je me suis senti un peu ragaillardi d'avoir enfin un plan, mais aussitôt le découragement m'a repris : à qui demander l'adresse ? Pouvait-on arrêter quelqu'un dans la rue et lui dire : « Excusez-moi, où se trouve la Direction du recyclage, s'il vous plaît ? »

J'ai sursauté quand un groupe de quatre garçons s'est planté devant mon banc. Le plus jeune devait avoir neuf ans, les trois autres à peu près treize, comme moi.

– Salut, qu'est-ce que tu fais là ? m'a demandé un grand maigre à l'air assez agressif.

J'ai essayé de prendre un ton amical :

– Rien, je me repose un peu.

– Ouais, ben tu f'rais mieux de t'reposer ailleurs. Parce qu'ici c'est not'coin, et nos poubelles. Yass t'a vu à midi piquer les restes de la poubelle neuf et ça, ça nous plaît pas. Pas du tout.

J'ai souri, de l'air vraiment le plus aimable que j'ai pu :

– Je savais pas, excusez-moi. Je viens d'arriver à Gayon.

– Eh ben, crétin comme t'es, tu vas pas y rester longtemps.

Ils se sont tous mis à rire et un autre a ajouté :

– En tout cas tu dégages d'ici, diesel, à moins que t'aies envie de te faire ramasser par les gores.

Je ne comprenais rien à ce qu'il racontait.

J'ai essayé de ne pas avoir l'air trop idiot et j'ai demandé :

– Qui c'est, les gores ?

Quand ils ont eu fini de s'étouffer de rire, le plus petit s'est écrié :

– Les gores, tu sais pas qui c'est ? Mais d'où tu sors, toi ? Les gores, les GOR, quoi, les Gardiens de l'ordre républicain ! S'ils te voient traîner ici tout seul après neuf heures du soir, ils t'embarquent et hop... en centre d'éducation !

– Bon, allez, on se téléporte, nous aussi, a dit le grand maigre. Et toi, a-t-il ajouté à mon adresse, qu'on te revoie pas demain, imprimé ?

Ils se sont éloignés en parlant bruyamment. Je me suis levé à regret du banc : dans cette ville inconnue, il m'apparaissait comme le seul endroit familier et quelque peu rassurant. Mais je ne pouvais pas courir le risque de me faire prendre par les gardes. J'ai quitté la place en essayant de mémoriser les lieux et mon parcours. J'avais décidé de m'écarter des grandes rues, envahies de véhicules et bordées d'immeubles de bureaux : je n'y trouverais aucun refuge.

Après avoir marché un bon moment et bifurqué une demi-douzaine de fois dans des rues plus étroites, j'étais totalement perdu, incapable même de retrouver la place du Palais-des-Arts. Le quartier où je me trouvais à présent était moins beau, les immeubles beaucoup moins hauts, les trottoirs dépourvus d'arbres. Mais je ne voyais rien qui puisse ressembler à un abri pour moi. J'ai marché longtemps. La nuit était venue et à nouveau la faim me tiraillait l'estomac. Les rues étaient à présent bordées de maisons avec de tout petits jardins. J'ai ralenti le pas. Par certaines fenêtres je voyais des gens s'agiter à l'intérieur, baignés dans une douce lumière. C'était donc cela une maison, un foyer?

Je commençais à me sentir complètement épuisé quand, au coin d'une petite rue, je suis enfin tombé sur ce que je cherchais. Une palissade de métal rouillé entourait un terrain au milieu duquel se dressait un petit bâtiment, genre villa ancienne. La maison devait être abandonnée depuis longtemps, elle n'avait même pas de capteur de multiénergie sur le toit. Sur la clôture un panneau à demi effacé annonçait la «Construction prochaine d'une unité de six logements avec microclimat et système d'approvisionnement intégrés». Ça devrait faire l'affaire pour cette nuit.

J'étais si fatigué que j'en oubliais même ma faim. Je n'avais qu'une envie: trouver un coin abrité pour m'allonger et dormir. Le seul problème, c'était de franchir la palissade, haute d'environ deux mètres et totalement dépourvue d'ouvertures. Heureusement, j'étais agile et, en prenant appui sur un piquet de fer qui dépassait, j'ai réussi à me hisser sur le sommet de la paroi métallique et à sauter de l'autre côté. Je me suis retrouvé à quatre pattes dans l'herbe, un peu sonné. Un bruit étrange m'a fait relever la tête: à quelques pas de moi, dans la demi-obscurité, une créature elle aussi à quatre pattes, poilue et monstrueuse, grognait en me regardant d'un air féroce. Oreilles pointues, dents pointues, mais pas de « ouah ! ouah ! » Un chien ? Je n'osais plus bouger. Tout à coup une voix a appelé :

– Buck ! Buck ! Alors, qu'est-ce que tu fais ? Viens là, gros benêt !

La bête s'est détournée de moi. J'ai recommencé à respirer… jusqu'à ce qu'une silhouette humaine sorte de l'ombre.

9

Une invitation

Je me suis relevé péniblement. Je me trouvais face à une personne d'environ mon âge, à la peau noire comme Babou Joe, donc probablement originaire d'Africaland. Mais était-ce un garçon ou une fille? Je n'arrivais pas à distinguer. Ses cheveux crépus coupés très court et sa silhouette aux épaules carrées me faisaient pencher pour un garçon, mais ses grands yeux étaient plutôt ceux d'une fille. En tout cas la personne me dévisageait d'un air pas commode, tout en retenant d'une main le monstre poilu. J'ai pensé que c'était à moi de dire quelque chose et je me suis forcé à articuler:

–Bonsoir, excusez-moi d'être entré ainsi. Je… je croyais qu'il n'y avait personne. Je cherchais juste… euh… un endroit où m'abriter.

– T'es tout seul ? m'a simplement rétorqué la personne d'un ton soupçonneux.

Plus je la regardais, plus j'avais l'impression que c'était une fille.

– Oui, oui, je suis tout seul.

Si tu savais à quel point je suis seul, ai-je eu envie d'ajouter, mais évidemment je n'ai rien dit. L'Africalandaise a eu l'air de se radoucir un peu. Elle a calmé le monstre, puis elle m'a dévisagé attentivement et je pense que cet examen a dû la rassurer car elle a fini par dire :

– Bon, suis-moi.

En approchant de la maison, j'ai vu que toutes les issues du rez-de-chaussée étaient murées, mais nous nous sommes dirigés vers une échelle appuyée contre une véranda, elle-même adossée à la villa. J'aurais peut-être dû me méfier avant de suivre ainsi quelqu'un d'inconnu, mais j'étais si épuisé que j'étais prêt à me remettre entre les mains de n'importe qui. Et puis je lui trouvais plutôt une bonne tête. J'ai donc grimpé à l'échelle derrière elle, la bête poilue sur mes talons. Une fois sur le toit de la véranda, nous avons pu pénétrer dans la maison par une fenêtre du premier étage et nous nous sommes retrouvés dans une pièce sombre et vide. De là nous sommes passés dans la chambre voisine ; la fille a allumé une étrange lumière, une petite flamme au-dessus d'un bâton blanc, qui a fait sortir de l'ombre un décor surprenant. C'était un endroit bizarre, surtout dans cette lumière tremblotante, plein de choses que je n'avais jamais vues, sûrement très anciennes. Mon hôtesse m'a fait signe de prendre le fauteuil, tout en s'asseyant sur la table. Le fauteuil était affreusement inconfortable, il ne s'est pas adapté à mon corps comme les sièges du Domaine ou ceux du turbotube, mais j'étais quand même très content de pouvoir m'asseoir. J'ai alors regardé l'Africalandaise et j'ai pensé qu'il était temps de faire les présentations. De ma voix la plus polie, j'ai alors déclaré :

– Je suis un garçon, j'ai treize ans et je m'appelle Quatre Bleu.

Elle m'a regardé d'un air surpris puis s'est mise à rire à gros hoquets avant de déclarer à son tour en m'imitant :

– Je suis une fille, j'ai onze ans et je m'appelle Alaya.

Je pouvais tirer de cela quelques conclusions : premièrement, c'était une fille, plus de doute là-dessus. Deuxièmement, pour onze ans et pour une fille, elle était drôlement costaud. Troisièmement, Alaya me paraissait un très joli nom. Le mien, en revanche, n'avait pas l'air de lui avoir beaucoup plu :

– Catrebleu, c'est bien un drôle de nom, a-t-elle dit en effet tout à coup. Jamais entendu ça. D'où tu es ?

Alors là, c'était une question qui risquait de m'entraîner bien loin. Pouvais-je révéler mon histoire à cette drôle de fille ? Me croirait-elle seulement ? Pourtant, j'ai su tout de suite que j'allais tout lui raconter. Je ne sais pas pourquoi, elle m'inspirait confiance.

– C'est une histoire longue et bizarre, je te préviens, ai-je dit. Je veux bien te la raconter, mais… heu… je suis fatigué et surtout je… j'ai très faim.

– T'as faim ? s'est écriée Alaya. Attends, on va arranger ça. J'ai pas tout mangé ce soir.

D'un placard elle a sorti des provisions qu'elle a placées sur la table. En quelques minutes, elle a découpé en petits cubes des légumes, du pâté de soja et des produits inconnus. Elle a arrosé le tout d'huile, d'épices, et m'a placé l'assiette sous le nez. Ça n'était peut-être pas la ration précise indiquée par ma biopuce, mais je me suis jeté sur le plat et j'ai tout dévoré. En plus, c'était bon.

– Ça va mieux ? m'a demandé Alaya. Alors, je t'écoute maintenant.

J'ai pris mon souffle et j'ai tout raconté, en essayant d'être le plus clair possible : le Domaine, André, les clones, mon évasion. Alaya m'écoutait attentivement, posant de temps en temps une question. Elle n'a pas douté une seconde de la véracité de mon récit et n'a pas bronché quand je lui ai révélé le but de cet élevage de clones humains. Elle avait l'air d'une fille qui ne s'affole pas facilement.

– Eh bien mon vieux, a-t-elle fini par dire, c'est vraiment pas drôle ce qui t'arrive. Tu as bien fait de te sauver. Même si tu n'avais pas risqué ta peau en restant là-bas, c'était vraiment un endroit plouf, ton domaine. Tu verras, ici, c'est mieux. Buck et moi, on va t'aider, hein Buck ?

En entendant son nom, le monstre poilu, qui s'était assoupi dans un coin depuis notre arrivée, a soudain dressé ses oreilles pointues, s'est étiré longuement et a trottiné jusqu'à Alaya.

– C'est… c'est un chien ? ai-je demandé d'une voix hésitante.

– Comment ça, « c'est un chien ? » Qu'est-ce que tu veux que ce soit, un rhinocéros ? Le dernier est mort il y a six mois au zoo de Singapour. T'es vraiment diesel, toi ! Bien sûr que c'est un chien : exactement un berger allemand croisé husky. Je l'ai appelé Buck comme le héros de *L'Appel de la forêt*.

Je ne comprenais pas grand-chose. Un rhinocéros ? Ce devait être une autre sorte de monstre poilu. Et « L'Appel de la forêt », ça voulait dire quoi ? Et puis c'était la deuxième fois dans la même journée que je me faisais traiter de diesel sans savoir ce que cela signifiait. Comme ça faisait beaucoup de questions à poser et que mes yeux commençaient à se fermer, j'ai seulement cherché à éclaircir le point qui me concernait :

– Diesel ? Qu'est-ce que tu veux dire par là ?

– Ben, diesel, c'était une sorte de véhicule propulsé au pétrole au début du millénaire, un véhicule lent et polluant. Alors traiter quelqu'un de diesel ça veut dire qu'il est nigaud, balourd, benêt, bêta, lourdaud...

– Bon, ça va, j'ai compris, l'ai-je interrompue. Tu sais, il y a plein de choses qu'il faudra que tu m'expliques, tu n'as pas fini de me trouver diesel.

– Oui, eh bien on verra ça demain, parce que je commence à avoir rudement sommeil et toi aussi, vu ta tête.

C'était vrai, j'étais complètement épuisé. J'avais peine à croire que moins de vingt-quatre heures auparavant je dormais tranquillement dans la chambre des Bleus.

Tant de choses s'étaient passées depuis, plus je crois que pendant toutes les autres journées de ma vie réunies.

–Si ça te gêne pas, a dit Alaya, pour cette nuit on va partager le lit. Demain on remplira l'autre matelas à eau que j'ai en réserve. Allez, bonne nuit, Cat!... Tu permets que je t'appelle Cat? Quatre Bleu, c'est vraiment trop long et trop plouf!

Je me suis laissé tomber sur le lit en grognant un vague:

–Oui, oui, Cat, c'est très bien.

Une seconde après, je dormais.

10

Alaya et Buck

Quand je me suis réveillé, il faisait grand jour et j'étais seul dans la pièce. Sur la table il y avait quelques biscuits, une pomme et un mot : « Salut, Cat ! Je suis partie au ravitaillement. Buck est dans le jardin. Ne te fais pas remarquer. À plus tard. Alaya. »

J'ai grignoté tout en examinant les lieux. Les quelques meubles étaient tous faits en bois, selon un modèle probablement très ancien. Un papier à rayures et à fleurs recouvrait les murs, ce qui m'a paru surprenant mais très joli, et le sol était lui aussi en bois. J'ai parcouru le reste de l'étage : la chambre par laquelle nous étions entrés était vide.

En me penchant par la fenêtre, j'ai aperçu le monstre poilu qui faisait la sieste dans l'herbe. L'autre pièce de l'étage avait dû être une sorte de salle d'hygiène rudimentaire. L'eau ne coulait plus des tuyaux qui semblaient faire office d'hydropulseurs, mais il y avait un seau rempli à côté des toilettes. Malgré leur aspect vétuste, je me suis résigné à les utiliser et à y vider ensuite le seau d'eau, en supposant que de toute façon il ne fallait pas espérer d'autre système désinfectant. Un miroir était pendu au mur, et je me suis approché avec curiosité de mon image. Au Domaine, il y avait bien quelques glaces dans la salle d'hygiène, mais nous n'avions guère le loisir de nous y contempler.

Je ne sais pourquoi, j'ai eu envie de m'observer. Le garçon que j'avais sous les yeux était blond, avec le teint bronzé, des yeux verts, une bouche plutôt grande, un nez droit. Une tête somme toute agréable. J'ai fait un sourire à mon reflet. Mais soudain mon sourire s'est figé : n'étais-je pas moi-même un simple reflet, celui de mon original ? Me détournant brusquement du miroir, je me suis lancé dans l'escalier pour explorer le rez-de-chaussée, histoire de me changer les idées.

Toutes les pièces étaient vides, plongées dans l'ombre à cause de leurs ouvertures murées, et dégageaient une odeur de moisi. Elles ne donnaient guère envie de s'y attarder et j'ai regagné la chambre du premier étage, avec l'intention d'examiner plus en détail son contenu. Dans le placard, outre quelques biscuits, un peu de vaisselle et des vêtements, j'ai trouvé des imprimés. Au Domaine nous imprimions bien sûr de temps en temps des documents qui nous servaient à l'entraînement de l'esprit, mais des imprimés comme ceux d'Alaya, je n'en avais jamais vu. Ils étaient très épais, remplis de mots et portaient sur la couverture une image très belle, le plus souvent celle d'un enfant ou d'un animal. Tout à coup j'ai vu les mots *L'Appel de la forêt* inscrits sur l'un d'eux, au-dessus de l'image d'un chien très semblable à celui d'Alaya. Ce document parlait-il de la bête qui m'avait fait si peur la veille ? J'ai commencé à lire et, effectivement, le chien dont il était question s'appelait Buck. Mais il était écrit qu'il vivait en 1897, il y avait donc environ 150 ans, et d'après ce que je savais des chiens ils ne vivaient pas aussi vieux. Pourquoi donc Alaya avait-elle cet imprimé ? Et les autres ? Pour apprendre quoi ? J'ai continué à lire pour essayer de comprendre et j'ai tout de suite été fasciné par l'histoire du pauvre Buck, arraché à ses bons maîtres, enfermé, battu. J'étais si absorbé par les efforts que me demandait ma lecture que je n'ai pas entendu Alaya rentrer. Sa voix m'a fait sursauter :

– Ah, ça te plaît ? C'est génial, non ?

– Bonjour. Oui, ça me plaît, je crois. Mais ces imprimés, c'est pour apprendre quoi ? Pourquoi tu les as sortis de l'ordi ?

Alaya a soupiré en me regardant :

– Ce ne sont pas des imprimés d'ordi, ce sont des livres. Ils me viennent de ma mère. Et ça n'est pas pour apprendre qu'on les lit, mais parce qu'ils racontent des histoires. Tu vois ce nom : Jack London ? C'est le type qui a inventé cette histoire et qui l'a écrite.

– Ah bon, c'est pas vrai, cette histoire ? Mais pourquoi il l'a inventée alors ?

– Pourquoi ?

Alaya, pour une fois, a eu l'air de ne pas très bien savoir quoi répondre, puis tout à coup son visage s'est éclairé et elle s'est écriée dans un grand sourire :

– Mais pour que toi ou moi, un jour, on rêve en la lisant ! Tu vois, quand tu lis ça, c'est comme si tu vivais il y a 150 ans, tout au nord d'Américaland, au milieu des forêts et de la neige, et pas à Gayon en 2043, dans cette baraque pourrie ! Ça te fait voyager, entrer dans une autre vie, tu comprends, comme un simulateur, sauf que tu n'as pas besoin de machine.

Oui, je commençais à comprendre, même si j'ignorais ce qu'était un simulateur. Alaya s'est mise à me parler de ses livres favoris, qui racontaient toujours des histoires d'animaux.

Cette fille était folle de toutes les espèces de monstres poilus, avec une préférence cependant pour les chiens et les chevaux. Mais moi, c'était son histoire à elle, sa vraie histoire, que je voulais connaître, et je le lui ai dit.

Au début, elle n'avait pas trop envie de me parler d'elle, mais quand je lui ai fait remarquer que moi, je ne lui avais rien caché, elle s'est décidée:

– Il faut que je remonte loin, m'a-t-elle dit, à ma grand-mère, en fait. Ma grand-mère est arrivée d'Africaland quand elle avait à peu près mon âge, vers 1980, je crois. Sa famille suivait encore les coutumes d'Africaland et l'a mariée à un homme qu'elle n'aimait pas. Elle a eu une petite fille – ma mère, donc – et puis elle a quitté son mari et elle a trouvé du travail dans une école, pour faire le ménage. Elle était pas bête, ma grand-mère, et puis de travailler dans une école, ça a dû lui donner des idées. Elle a voulu que ma mère fasse des études et devienne une maîtresse. Et apparemment, ça plaisait à ma mère, parce que c'est ce qu'elle a fait : elle est devenue maîtresse et elle a rencontré un maître, lui aussi originaire d'Africaland. Ils se sont mariés et je suis née. Seulement j'ai pas bien eu le temps de profiter de mes parents, parce qu'ils sont morts quand j'avais trois ans.

– Ils sont tombés malades ?

– Non, ils ont eu un accident de véhicule, en Africaland. Ils étaient partis là-bas pour des vacances. Moi, ils m'avaient laissée ici, chez ma grand-mère. Tu sais, en Africaland, les choses sont en retard. La plupart des véhicules sont des vieux modèles qui n'ont même pas de radar anticollision, alors, forcément, il y a beaucoup d'accidents. Ils n'ont pas eu de chance, et moi non plus.

– Tu as dû avoir un chagrin terrible !

– Oh, j'étais trop petite pour me rendre compte, je crois. Et puis, j'adorais ma grand-mère. On s'entendait bien toutes les deux et elle me gâtait beaucoup.

– Et tu avais aussi ton chien, hein ?

– Non, Buck, elle me l'a offert pour mes neuf ans. Pourtant elle n'aimait pas trop les chiens, mais elle savait que mon rêve le plus cher était d'en avoir un.

– Mais pourquoi tu n'es plus avec ta grand-mère maintenant ?

Le visage d'Alaya s'est brusquement contracté :

– Elle est morte. Il y a trois mois, un soir où on était à table, elle est tombée de sa chaise, d'un coup. Le docteur a dit que son cœur était usé et qu'il avait lâché. Et là, c'était pas comme pour mes parents, je me suis vraiment rendu compte de ce que j'avais perdu et j'ai été très malheureuse.

Elle est restée silencieuse et j'ai dû poser une question pour qu'elle continue :

– Alors tu es venue habiter ici toute seule ?

– Non, pas tout de suite. D'abord je suis allée chez madame Martine. C'est une copine de ma grand-mère, du temps où elles faisaient toutes les deux le ménage à l'école. Elle est gentille, madame Martine, elle voulait bien me garder et même garder Buck, et pourtant son appartement est plutôt petit. Mais...

– Elle est morte aussi ? l'ai-je interrompue, résigné à l'idée que dans le monde extérieur la mort frappait très souvent.

– Non, mais les surveillants de l'enfance sont venus. Ils ont trouvé qu'elle était trop vieille, et puis pas assez riche et même pas de ma famille. Alors ils m'ont dit que je devrais aller dans un home pour enfants hors famille. Bon, moi, à la limite, j'y serais peut-être allée, parce que avec madame Martine, c'était pas toujours très gai, même si elle est gentille. Seulement ils m'ont dit que je pourrais pas prendre Buck avec moi. Ils m'ont raconté qu'ils lui trouveraient une famille dans une réserve de nature, mais moi je savais bien que c'était pas vrai, qu'ils allaient se contenter de lui balancer une décharge de rayons G pour se débarrasser de lui, comme ils font avec les animaux abandonnés. Ils m'ont laissé une semaine avant de m'emmener, le temps de tout régler.

– Alors tu as fait comme moi, tu as décidé de te sauver avant qu'ils reviennent ?

– Oui. J'étais vraiment désespérée, et c'était la seule solution que j'avais trouvée pour rester avec Buck. Tu comprends, j'avais déjà perdu mes parents, et puis ma grand-mère, alors il n'était pas question que je perde aussi Buck. Quand madame Martine a vu qu'elle n'arriverait pas à me faire changer d'avis, elle m'a parlé de cette maison abandonnée. Elle y avait travaillé comme femme de ménage jusqu'à la mort de la vieille dame qui l'habitait, et elle savait que le chantier n'avait jamais vraiment commencé. Et le plus intéressant, c'est qu'elle avait gardé la clé du petit portail qui ouvre sur l'arrière du jardin.

– Ah bon ! me suis-je écrié. Alors tu n'escalades pas la palissade à chaque fois pour entrer et sortir ? Ça m'étonnait, aussi.

– Non, a continué Alaya, je passe par cette porte qui donne dans une petite rue plutôt déserte. Jusqu'à présent, personne ne m'a repérée. Il faut croire que les gores ne m'ont pas trop cherchée. D'ailleurs ils cherchent une fille et, depuis que j'ai coupé mes tresses, on me prend en général pour un garçon. Et puis, de toute façon, comme j'ai plus de famille prête à tout pour me retrouver, ils vont pas se fatiguer à nous pister, hein Buck ?

Et Alaya a attiré à elle la grosse bête et appuyé sa joue contre les poils gris.

– C'est comme moi, ai-je murmuré, moi non plus je n'ai pas de famille qui me cherche... Quoique je suppose que les parents de mon original aimeraient bien mettre la main sur moi, mais...

– Mais il vaut mieux pour toi qu'ils n'y arrivent pas, mon pauvre Cat ! a complété Alaya. Bon, si on faisait à manger ?

J'ai alors remarqué le gros sac qu'elle avait posé en entrant :

– Mais comment tu fais pour trouver de la nourriture ?

– Une fois par semaine, j'ai rendez-vous avec madame Martine, à chaque fois dans un endroit différent. Elle m'apporte des provisions pour plusieurs jours. Et puis je traîne un peu vers les compacteurs de résidus des centres de restauration. Il y a beaucoup de choses gaspillées. Malheureusement il y a aussi pas mal de « clients » comme moi qui essaient de les récupérer. Dans ces cas-là, Buck m'aide beaucoup. Il suffit qu'il grogne un peu, et je peux faire mon tri tranquillement.

– Ça, je veux bien te croire !

– Seulement, a poursuivi Alaya, l'été se termine et je sais pas ce qui va arriver. D'abord, j'aimerais bien retourner à l'école, retrouver mes copines et puis même les cours. J'en ai un peu assez d'être toujours toute seule... Enfin, depuis que tu es là, c'est déjà un peu mieux, même si tu m'aides pas beaucoup. Mais il va bientôt se mettre à faire froid, et on pourra pas tenir dans cette vieille bicoque sans microclimat. Madame Martine me dit qu'on va trouver une solution, mais moi je sais bien qu'elle est incapable de faire quoi que ce soit, à part appeler les surveillants de l'enfance pour qu'ils me récupèrent. Non, là, je sais pas comment ça va finir.

Alaya a poussé un soupir et a serré Buck dans ses bras. J'avais de la peine pour elle. C'était une émotion très violente qui me serrait le ventre, quelque chose de nouveau et de bien différent de mon angoisse de la veille. J'ai compris alors que l'amitié pouvait prendre diverses formes. Pour André, j'éprouvais surtout un sentiment de reconnaissance. Face au désarroi d'Alaya, j'avais envie de la réconforter, et ça aussi, c'était être amis.

– Écoute, lui ai-je dit, on est deux maintenant. On est trop jeunes pour s'en sortir tout seuls, mais on va se débrouiller pour retrouver ce Sam. Sam appellera André et André nous aidera. Il a promis qu'il s'occuperait de moi, il le fera. Et il s'occupera de toi aussi ; tu verras, c'est quelqu'un de formidable. Allez, ne te décourage pas, tout va s'arranger.

Je n'en étais pas vraiment sûr, mais de le dire m'a un peu remonté le moral. Alaya m'a regardé et Buck a lui aussi tourné vers moi sa tête poilue : ils avaient le même regard confiant et je me suis senti soudain très responsable.

11

À la recherche de Sam

Le lendemain, on a donc entrepris de retrouver Sam. Découvrir l'adresse de la Direction du recyclage n'était pas un problème, contrairement à ce que j'avais cru. Alaya m'a dit qu'à n'importe quel carrefour il y avait des bornes d'orientation qui donnaient ce genre de renseignements.

Au premier carrefour on a en effet trouvé une borne. Après quelques explications à la machine, Alaya a récupéré l'imprimé contenant les informations et s'est écriée :

– Voilà, 126, rue Gérard-Depardieu… Cititube A3 ou une demi-heure de marche… tout droit par le boulevard Cohn-Bendit, tourner à gauche dans la rue du Vieux-Théâtre… bon, d'accord, c'est facile. On va marcher, tu veux bien ?

J'étais tout à fait d'accord pour y aller à pied. Mon expérience dans le turbotube ne me donnait pas particulièrement envie d'essayer le cititube. Et puis je préférais observer le spectacle de la ville. Je regardais partout autour de moi, posant des tas de questions à Alaya, qui tâchait de m'expliquer tout ce que je ne comprenais pas : les trappes sélectives à déchets, les entrées souterraines du cititube, les cyberboutiques alternant avec des magasins à l'ancienne.

Ce qui me frappait le plus, c'était la diversité des vêtements que portaient les gens. Au Domaine, nous étions tous vêtus de la même combi, seule la couleur changeait selon notre groupe. Mais à Gayon, on pouvait voir les tenues les plus variées. Alaya m'a dit que depuis un an la mode était aux tissus autodrapants, et beaucoup de gens portaient en effet de grandes pièces d'étoffe souple, différemment enroulées autour du corps. La plupart circulaient sur une piste spéciale réservée aux patins ou aux sièges à roulettes, d'autres marchaient comme nous sur le trottoir des piétons, mais presque tous, sauf les plus âgés, étaient coiffés d'un casque à visunettes.

Au bout d'un moment, on est arrivés devant un grand bâtiment sur lequel on pouvait lire en grosses lettres :

DRD. En dessous une plaque indiquait: « Direction de recyclage des déchets – Ce bâtiment, entièrement construit avec des matériaux recyclés selon les normes de la Nouvelle Architecture, a été inauguré le 17 septembre 2034 par Ninon Elliott, ministre de l'Écologie. »

– Bon, c'est là, a dit Alaya. Qu'est-ce qu'on fait, maintenant?

J'ai tâché de prendre l'air assuré:

– Je vais aller me renseigner, reste là.

– Mais qu'est-ce que tu vas leur dire?

– Que je cherche Sam pour lui remettre un papier, mais que j'ai oublié son nom de famille.

– Tu crois que ça va marcher?

– Peut-être, avec un peu de chance.

Alaya m'a expliqué comment utiliser le visiophone de l'entrée. J'ai suivi ses instructions et je me suis retrouvé dans un grand hall à l'air délicatement climatisé et parfumé. Une dame rousse était assise derrière un grand comptoir marqué « Information ». Je me suis approché timidement, impressionné par la pyramide de cheveux flamboyants qui surmontait son crâne. Elle a fini par laisser tomber sur moi un regard bleu et glacé.

– Oui? ont lâché ses lèvres peintes, dans un sourire qui m'a paru presque effrayant.

J'étais tremblant, mais je me suis forcé à dire sans bafouiller :

– Excusez-moi, je cherche un monsieur qui travaille ici. Il est informaticien.

– Son nom ? ont articulé les lèvres rouge sang.

– Justement, le problème, c'est que j'ai oublié son nom. Mais je connais son prénom, c'est Sam.

– Sam ? Et pourquoi tu cherches ce monsieur, s'il te plaît ?

La dame ne souriait plus.

– Ben, c'est que... J'avais un papier pour lui.

– De la part de qui ?

– De... heu... de monsieur André, ai-je improvisé.

– Bon, eh bien, tu vas retourner voir ce monsieur André pour qu'il te donne le nom complet de la personne que tu cherches. Et ensuite tu reviendras nous voir et on pourra transmettre ton papier. Au revoir.

J'ai voulu faire une dernière tentative, je n'avais plus rien à perdre :

– Mais avec l'ordi, vous ne pourriez pas me dire s'il y a bien ici un informaticien qui s'appelle Sam et...

Elle m'a interrompu sèchement :

– Ça, il y en a sûrement plusieurs... Sam, c'est un prénom courant.

–Mais, ai-je insisté, vous ne pourriez pas m'aider à trouver celui que je cherche?

–Non, a répliqué la rousse d'un air pincé. Je ne peux pas donner d'information sur le personnel comme ça. Impossible.

Là-dessus, elle s'est connectée à son téléphone en se détournant ostensiblement de moi.

Je suis sorti la tête basse.

–Ça n'a rien donné, hein? a dit Alaya en me voyant.

–Non, la dame n'a pas voulu m'aider. Il va falloir trouver autre chose... Si je restais là, devant la porte, et que j'attende la sortie de tous les employés? André a envoyé ma photo à Sam, il me reconnaîtra peut-être.

–On peut toujours essayer, a dit Alaya, mais on est encore loin de l'heure de la sortie. En attendant, si on allait au Vieux Théâtre?

–C'est quoi, ça?

–C'est un endroit qui passe des films d'avant le Sensotronic.

–C'est comment? Comme des images d'ordi?

–Oui, mais c'est plat, il y a juste les images qui bougent et les bruits. Tu as déjà vu un Sensotronic? C'est pareil mais en deux dimensions et sans les sensations.

Je n'avais jamais vu de Sensotronic ni de films d'avant, alors Alaya a essayé de m'expliquer ce qu'était le cinéma. Je n'ai pas bien compris, mais ce que j'ai retenu, c'est que ça racontait des histoires, comme les livres.

– Est-ce qu'on peut aller voir l'histoire de Buck? ai-je demandé.

– Ah ben non, on choisit pas quand on va au Vieux Théâtre, c'est pas un écran perso où on peut télécharger le film qu'on veut. On regarde ce qui passe ce jour-là.

– Et c'est quoi, aujourd'hui?

– Je sais pas, on verra bien.

Quand on est arrivés devant le Théâtre, Alaya a poussé un cri de joie:

– Génial! *Danse avec les loups*, j'adore ce film, je l'ai déjà vu deux fois. Viens vite, on entre, ça va bientôt commencer! On va prendre les tickets.

– Il faut payer?

– Oh, presque rien. Très peu de monde vient voir les films ici. La ville maintient l'endroit ouvert juste pour le souvenir, et pour faire plaisir aux vieux. Les gens préfèrent regarder ce qu'ils veulent, quand ils veulent et où ils veulent en téléchargeant un Sensotronic sur leur écran. Mais moi je venais souvent avec ma grand-mère, elle aimait beaucoup cet endroit, ça lui rappelait sa jeunesse.

Dans la salle, il y avait effectivement surtout des gens entre quatre-vingts et cent ans. On s'est assis juste au moment où le noir se faisait et l'histoire a commencé. Je n'ai pas tout compris mais j'ai adoré. J'ai ri, j'ai eu peur, j'ai pleuré. J'avais l'impression d'être sorti de moi-même pendant tout le temps que ça a duré. J'avais complètement oublié mes problèmes, le Domaine, Sam, et, quand la lumière s'est rallumée, j'étais totalement ahuri.

– Allez, diesel, secoue-toi, m'a grondé Alaya, il faut retourner à la Direction du recyclage.

Je me suis laissé guider à travers les rues, la tête encore toute pleine des images que je venais de voir. Le monde extérieur me plaisait bien, parfois.

Alaya m'a fait me poster devant la sortie des bureaux et j'ai attendu. Bientôt l'immeuble s'est mis à déverser des paquets de gens qui s'engouffraient aussitôt dans le cititube. Il y en avait des dizaines, des centaines, et j'avais beau essayer d'accrocher le regard des hommes assez jeunes, personne ne remarquait ma présence. Même la rousse de l'information est passée à côté de moi sans me voir. Au bout d'un moment, le flot est devenu moins dense. J'avais mal aux jambes à force de rester planté. Les derniers employés sont sortis de l'immeuble alors que la nuit commençait à tomber. Alaya, qui s'était assise à l'écart, est venue me dire :

– Bon, on laisse tomber. Ça sert à rien, il y a trop de monde qui travaille là. Allez, viens, si on traîne trop on va se faire ramasser par les gores, et ce serait la catastrophe pour moi.

On a repris le chemin de la maison en traînant un peu la jambe. Quand Alaya a tourné la clé dans la serrure du petit portail, on a entendu l'aboiement joyeux de Buck et, pour la première fois, j'étais content de revoir cette espèce de loup. Je commençais à comprendre l'attachement que certaines personnes peuvent éprouver pour les créatures poilues.

Après un repas léger, on s'est vite couchés. Au moment de souffler la bougie, Alaya m'a dit :

– Écoute, demain, s'il fait beau, on ira faire un pique-nique à la base de nature, ça nous changera les idées et ça fera du bien à Buck.

J'étais tellement fatigué que je n'ai pas eu le courage de lui demander ce qu'était un pique-nique.

12

Le pique-nique

– Cat, dépêche-toi, gros paresseux, m'a crié Alaya en me voyant me mettre sur mon séant. Il fait mégabeau, ça va être parfait pour le pique-nique !

– C'est quoi, un pique-nique ?

– C'est quand on va dans une base de nature et qu'on mange assis dans l'herbe, avec les doigts, des trucs froids, des sandwichs…

Ça m'a rappelé mon repas tiré de la poubelle, sur le banc de la place du Palais-des-Arts. Du coup, ça ne me paraissait pas très tentant. Mais Alaya avait l'air de considérer qu'un pique-nique était une distraction de premier ordre et j'ai essayé de partager son enthousiasme.

– Et comment c'est, une base de nature ? C'est loin ? ai-je demandé.

– Une base de nature, c'est un endroit hors du complexe urbain, au-delà des zones de production et d'échange. Un endroit avec plein d'herbe, des arbres, des ruisseaux, des animaux. C'est assez long pour y aller, une heure de turbotube à peu près.

– Mais tu as une carte, pour le turbotube ?

– T'inquiète pas pour ça, m'a dit Alaya, tu verras !

J'ai aidé Alaya à finir de préparer le repas froid et on s'est mis en route, accompagnés de Buck. Peu avant d'arriver à l'entrée du turbotube, Alaya a sorti des lunettes de soleil de sa poche, les a mises sur son nez, et m'a attrapé le bras en disant :

– Bon, à partir de maintenant je suis aveugle. Toi et Buck, vous êtes mes accompagnants.

– Mais… mais pourquoi tu fais ça ?

– Comme ça, on paie pas le turbotube, diesel, et Buck peut voyager avec nous.

– Personne va s'en douter, tu crois ? Et s'ils vérifient ?

– J'ai une fausse carte de PAL, de « personne à autonomie limitée », que j'ai bricolée à partir d'une vieille carte de madame Martine. T'inquiète : les autres fois, on ne m'a rien demandé !

On s'est donc dirigés vers l'entrée du turbotube, Alaya marchant à pas hésitants entre Buck et moi. On a franchi sans encombre le portillon PAL, en compagnie de quelques vieux et de deux femmes avec un très gros ventre.

–Alaya, ai-je chuchoté, qu'est-ce qu'elles ont ?

–Ce que tu peux poser comme questions débiles ! s'est-elle écriée. Elles attendent un bébé, elles sont enceintes, quoi !

Puis elle a ajouté :

–C'est vrai que toi, t'as jamais vu ça… c'est drôle, quand même.

Oui, c'était drôle, enfin pas vraiment drôle, et même franchement triste en y pensant bien, de savoir que moi, j'avais commencé ma vie dans une poche de silicone, au fond d'un laboratoire. C'était une douleur étouffante, que j'avais du mal à cerner, et dont je ne pouvais parler à personne, pas même à Alaya. Les êtres normaux étaient une création nouvelle, imprévisible, issue de l'attirance qui avait poussé l'un vers l'autre un homme et une femme. Mais moi, qu'étais-je ? Une simple réplique bricolée par un biogénéticien qui me considérait comme une réserve d'organes de rechange. Je n'étais pas le fruit de l'amour, ni même du désir, mais seulement d'un froid calcul prévoyant. Avais-je même le droit de prétendre à l'humanité ?

Toutes ces pensées me tournoyaient dans la tête sans que je puisse les maîtriser, tandis que je gardais les yeux fixés sur le gros ventre de la femme assise près de nous sur le quai. Alaya m'a tiré par la manche, m'arrachant à mon trouble intérieur:

– Ça y est, voilà notre turbotube!

En ce jour de semaine, les compartiments étaient assez peu remplis et nous avons pu nous asseoir sans problème. La plupart des autres voyageurs à destination de la base de nature étaient soit des jeunes encore en vacances, soit des vieux hors activité. Bientôt le turbotube est sorti du tunnel.

– Regarde par la fenêtre, dis-moi ce que tu vois, m'a demandé Alaya, jouant avec assurance son rôle d'aveugle.

Alors je lui ai décrit les entrepôts, les voies et les pistes qui s'entrecroisaient, les petits bâtiments. Elle m'expliquait au fur et à mesure de quoi il s'agissait: la zone d'échange et de production, l'aérogare, la piste ultrarapide vers Paris, les zones d'habitat excentré. Peu à peu les modules habitables se faisaient plus petits, moins serrés, les pistes étaient moins nombreuses. Enfin le turbotube a pénétré dans un espace qui ressemblait tout à fait au Domaine: il y avait de la verdure partout, des arbres, de vastes prairies. J'ai réalisé tout à coup combien cet environnement m'avait manqué durant les trois jours passés à Gayon. Le turbotube s'est arrêté et nous nous sommes retrouvés sur un petit chemin, Buck bondissant comme un fou et nous courant de-ci de-là, à peine moins fous.

– Que j'aime la base de nature, s'est écriée Alaya. Je voudrais vivre tout le temps ici ! Hein Buck, ce serait chouette, non ?

On a marché assez longtemps pour se retrouver dans un endroit vraiment désert : il y avait de grands arbres, un ruisseau, de l'herbe tendre, et on est tombés d'accord pour trouver que c'était le lieu idéal pour un pique-nique. On a dévoré tout ce qu'on avait apporté, jusqu'à la dernière miette. Après ça, on a pataugé dans le ruisseau, joué avec Buck, et j'ai fait une démonstration de mon agilité en grimpant presque au sommet d'un hêtre. Il y avait longtemps que je ne m'étais senti aussi gai et insouciant. L'heure du retour est arrivée trop vite. Pour rejoindre le turbotube, Alaya a décidé de passer par le chemin du lac. C'était une voie assez large, où circulaient de nombreux promeneurs. Un groupe de garçons à bicyclette nous a dépassés et l'un d'eux a failli me heurter. J'ai protesté :

– Attention, quand même !

Le garçon s'est retourné, et il a stoppé net :

– Ça alors, Philippe ! s'est-il exclamé.

Puis il a appelé les autres :

– Hé, les gars, attendez ! Arrêtez-vous !

Avant que j'aie pu comprendre ce qui se passait, les quatre garçons m'entouraient et me bombardaient de questions :

– Eh ben Philippe, comment ça se fait que tu sois là ? J't'croyais cloué au lit !

– Tu vas mieux, on dirait ? T'as mégachangé, t'as l'air en pleine forme !

– Ouais dis donc, t'es guéri ? J't'aurais à peine reconnu.

– T'as les cheveux vachement longs, en plus, on dirait un mysticos ! Sacré Philippe, va !

– Tu vas revenir au collège la semaine prochaine, alors ? C'est pulsant !

J'ai soudain saisi ce qui arrivait : ils me prenaient pour un autre, un dénommé Philippe, qui était malade... Et qui pouvait être ce Philippe qui me ressemblait au point de les tromper, sinon mon original ?

J'ai bafouillé en direction du groupe :

– Ouais, ouais, ça va bien… heu… beaucoup mieux… heu, alors à bientôt.

– On va boire un mix de jus au café du lac, tu nous rejoins ? a demandé un des garçons.

– Non, heu… je peux pas, je suis avec une amie, on doit rentrer.

J'ai montré Alaya, qui était restée un peu à l'écart.

Ils se sont mis à ricaner et ont recommencé à parler tous en même temps :

– Ah, ah, d'accord, on a compris, on va pas vous déranger.

– C'est pour ça que t'avais pas l'air trop content de nous voir, ça y est, j'connecte !

– T'es en réseau avec une Fricaine ? Ça m'étonne de toi ! Ton père le sait, dis donc ?

– Hé Philippe, elle en a un beau chien, ta copine. Fais gaffe à pas te faire bouffer !

Puis l'un d'eux a ajouté d'un ton plus sérieux :

– J'ai eu un nouveau cyberdrive pendant les vacances, faudra que tu viennes l'essayer. Je t'appellerai.

J'ai essayé de me débarrasser d'eux rapidement. Je commençais à réaliser que cette rencontre pouvait être source de graves ennuis.

–Oui, salut. Allez à bientôt ! D'accord, moi, je t'appellerai ! Salut !

Ils sont repartis sur leurs bicyclettes. Alaya me regardait d'un drôle d'air. Je me suis tourné vers elle :

–Tu as compris ce qui s'est passé ? ai-je demandé.

–Oui, j'ai très bien compris, a-t-elle soudain crié d'un ton rageur. Alors comme ça tu es un clone, tu connais personne à Gayon, tu t'appelles Quatre Bleu ! Ah, tu m'as bien eue avec tes histoires débiles… Philippe !

–Mais non, je ne suis pas Philippe ! Écoute-moi, réfléchis ! Ils m'ont pris pour leur copain. Pourquoi à ton avis ? Comment ont-ils pu me confondre avec ce garçon, ce Philippe ? Parce que c'est mon original ! Je lui ressemble, mais moi je suis en bonne santé et pas lui. Tu as entendu, ils ont trouvé que j'avais l'air guéri : ça veut dire que mon original est malade et c'est bien pour ça qu'on avait prévu d'aller me chercher au Domaine.

Alaya s'est calmée d'un coup :

–Mais tu crois que lui et toi vous vous ressemblez à ce point ?

–Bien sûr, encore plus que des vrais jumeaux. André me l'a expliqué, c'est comme ça entre un original et son clone.

– Bon, je te crois. Excuse-moi, Cat, mais pendant un moment je n'y comprenais plus rien. Quand je t'ai vu parler avec ces garçons comme si tu les connaissais…

– J'ai bien été obligé de jouer le jeu, qu'est-ce que je pouvais faire d'autre ? Mais ça m'inquiète… Ce garçon va appeler chez Philippe, il va raconter notre rencontre… Et si les parents de mon original ne sont pas diesels, comme tu dis, ils finiront par conclure que le clone de leur fils se balade quelque part dans Gayon. Je suppose qu'ils sont à ma recherche depuis ma disparition et qu'ils donneraient cher pour me récupérer.

– Ne te fais pas de souci, m'a rassuré Alaya. Ils ne risquent pas de te trouver dans la vieille maison. C'est une bonne cachette, qui peut encore nous servir quelque temps. Depuis plus d'un mois que j'y suis, personne ne se doute de rien. Et pour la suite on va trouver un plan, tu verras, j'ai déjà une idée.

Je lui ai souri. Elle essayait de me réconforter, comme j'avais essayé de le faire deux jours avant. Aucun de nous deux n'avait vraiment de solution pour nous tirer d'affaire, mais chacun voulait aider l'autre, et c'était beaucoup mieux que d'affronter les problèmes tout seul.

– Allez viens, on rentre, m'a dit Alaya. C'était quand même un chouette pique-nique, non ?

Elle a remis ses lunettes noires et on s'est dirigés bras dessus, bras dessous, vers le terminal du turbotube.

13
Le rapt

Alaya et moi avons passé les deux jours suivants à essayer de nous mettre d'accord sur un plan. Alaya soutenait que nous devions quitter Gayon au plus vite. Elle pensait que nous pourrions nous réfugier dans une réserve de nature, au sud d'Euroland, peut-être même plus loin. D'après ce qu'elle savait, en Africaland et en Asialand les enfants pouvaient avoir un travail et gagner leur vie. Mais quand je lui ai demandé comment elle comptait se rendre dans ces contrées lointaines, elle a dû m'avouer qu'elle n'en avait pas la moindre idée. Le truc de l'aveugle pouvait lui éviter de payer le turbotube, mais certainement pas la navette aérienne qu'il serait nécessaire de prendre pour un tel voyage.

De toute façon, je n'étais pas partisan de l'idée de m'éloigner de Gayon. Je savais bien que je risquais très gros en restant, mais, contrairement à Alaya, je jugeais que nous devions avant tout retrouver Sam ou André. Seuls des adultes pouvaient nous aider.

Nous avions jusque-là consacré tous nos efforts à chercher Sam, en vain. N'aurais-je pas dû plutôt essayer d'entrer en contact avec André ? Il devait bien y avoir un moyen. Il était évidemment impossible pour moi de le joindre au Domaine. Mais lui, il avait contacté Sam pour préparer mon évasion, je m'en souvenais, et aussi ses amis de l'association… comment s'appelait-elle ? Le Groupe contre les clones… Le Groupe anti-clonage humain, le GACH, oui. Et le GACH lui avait répondu de m'abandonner à mon triste sort pour ne pas compromettre le succès de sa mission… Donc le GACH pouvait se connecter à André… et moi aussi par leur intermédiaire ! Pourquoi n'y avais-je pas pensé plus tôt ? Lorsque, tout excité par ma trouvaille, j'ai fait part de mes déductions à Alaya, elle n'a pas paru très enthousiaste. Elle ne faisait pas comme moi confiance à André.

–Oui, a-t-elle soupiré, ce serait bien pour toi de le retrouver. Cela signifierait sans doute la fin de tes ennuis… Mais si des adultes mettent la main sur moi, je serai expédiée en home pour enfants hors famille, sans Buck. Je suis même pas un clone, moi, j'intéresse personne !

– Mais je t'assure, André ne te laissera pas tomber… Et moi, tu crois que si j'étais tiré d'affaire je te laisserais partir dans un home, que je les laisserais faire du mal à Buck ? Je n'ai pas eu beaucoup d'amis dans ma vie, tu sais ; il y a eu d'abord André, et maintenant il y a aussi toi et Buck. Si on s'en sort, ce sera tous ensemble, d'accord ?

Alaya a fini par se laisser convaincre et a accepté de m'aider à me connecter au GACH. Ne pas avoir d'ordi était un problème, mais Alaya m'a expliqué qu'on pouvait utiliser les bornes d'information des rues pour les communications brèves. À la borne la plus proche, après pas mal de tâtonnements sur le réseau, nous avons fini par situer le GACH et ouvrir sa ligne. Il n'y avait pas de contact direct, mais on pouvait laisser un message et j'ai donc dicté à l'appareil les mots suivants, préparés à l'avance avec Alaya :

« Pour André/Babou Virian, de la part de Quatre Bleu. Message très urgent à lui faire passer absolument, là où il est : Je serai devant le monument à la

Méditerranée après-demain à 14 heures, et tous les jours suivants aussi. Viens dès que tu peux, ou envoie Sam. Je t'en prie. »

Nous avions décidé de fixer le rendez-vous au surlendemain pour laisser à André le temps de recevoir mon message et de s'organiser. C'est Alaya qui avait choisi le lieu, un endroit de la ville que tout le monde connaissait et où pas mal de gens se retrouvaient. Elle m'avait expliqué que c'était une grande sculpture d'eau qui commémorait le nettoyage de la Méditerranée, achevé en 2030.

Il n'y avait plus qu'à espérer que mon message parvienne à destination.

•

Le matin du jour fixé pour le rendez-vous, je suis resté seul à la maison pendant qu'Alaya et Buck allaient faire le tour des compacteurs à résidus dans la zone des restaurants. Depuis que je m'étais joint à eux, les provisions données par madame Martine étaient en effet nettement insuffisantes pour satisfaire nos trois appétits. J'aurais voulu participer à l'expédition, mais Alaya m'avait fait remarquer, très justement, qu'il valait mieux que j'évite de sortir après ma rencontre malheureuse avec les camarades de Philippe.

J'étais donc occupé à lire un des ouvrages d'Alaya, sans réussir vraiment à m'y intéresser tellement l'idée du rendez-vous de 14 heures m'angoissait. Le GACH avait-il transmis mon message à André ? Celui-ci pourrait-il venir ? Enverrait-il Sam ? Je m'imaginais attendant en vain tout l'après-midi, et tous les après-midi suivants. Tout à coup, il m'a semblé entendre un bruit sourd dans la pièce voisine, celle dont la fenêtre nous servait d'entrée.

– C'est toi, Alaya ? ai-je appelé.

Pourquoi était-elle revenue si vite ? Il avait dû se passer quelque chose.

Mais je n'ai pas eu le temps de m'interroger davantage. Deux hommes ont jailli dans la chambre et se sont jetés sur moi. L'un était un grand chauve d'une quarantaine d'années, l'autre un jeune métis eurafricain. Tandis qu'ils me maintenaient sur le fauteuil, j'ai senti une douleur vive à la cuisse, une piqûre. Puis ils m'ont lâché. Mais mes bras et mes jambes restaient immobilisés, comme attachés par des liens invisibles. J'ai voulu parler, ma bouche ne m'obéissait plus. Je me suis senti soulevé, puis j'ai perdu connaissance.

14

La gueule du loup

– Quand même, ça me plairait pas trop de savoir qu'une copie de moi existe quelque part en attendant que j'aie besoin d'une pièce de rechange.

– Mouais…

– Et toi, ça te dérangerait pas, cette idée ? C'est malsain comme programme, non ?

– Mouais…

– Ils sont bizarres, les riches, moi je trouve. Ils pourraient bien prendre des greffons de porc, comme tout le monde, quand ils ont besoin d'un organe neuf… ou accepter de crever, quand y a pas d'autre solution… Hein, tu trouves pas ?

– Ferme-la un peu ! Voilà justement notre réservoir d'organes ambulant qui se réveille. Va donc lui chercher un verre d'eau.

Depuis quelques minutes j'avais repris conscience et mon cerveau enregistrait mécaniquement la conversation de mes deux ravisseurs. J'ai ouvert péniblement les yeux: le grand chauve était penché sur moi et m'observait, le visage impassible. Puis le jeune Eurafricain est arrivé avec un verre d'eau et m'a aidé à me redresser. J'ai bu avidement: j'avais la gorge desséchée, certainement à cause du somnifère qu'on m'avait administré. L'eau fraîche a fini de me réveiller et j'ai regardé autour de moi.

J'étais dans une pièce assez petite, meublée d'une table, de deux fauteuils et de la banquette où je me trouvais. Les rideaux de l'unique fenêtre étaient tirés et un bulbe accroché au mur diffusait une lumière jaunâtre. Le grand chauve, qui semblait être le chef, était retourné s'asseoir dans un des fauteuils. L'Eurafricain, lui, était toujours près de moi. Le verre vide à la main, il me considérait avec une curiosité non dissimulée.

J'ai senti le désespoir me submerger. J'ai pensé à une expression dont Alaya m'avait expliqué le sens: «être dans la gueule du loup». Eh bien, voilà, j'y étais.

–Alors, on se réveille? a fini par dire le grand chauve.

Puis il a ajouté:

– Je te conseille de te tenir tranquille et je te précise qu'il est inutile de brailler : la pièce est parfaitement insonorisée. Alors, relax, Max. D'ailleurs, d'après ce qu'on m'a dit, il va rien t'arriver de trop méchant. Dans quelques jours tu vas retrouver tes petits copains du Domaine, et tout sera comme avant. À peu de chose près.

– C'est quoi le « à peu de chose près » ? ai-je répondu, d'une voix que je voulais agressive, mais que le somnifère avait rendu pâteuse. Un poumon en moins ? Un rein ? Juste une oreille, peut-être ? Il a besoin de quoi au fait, mon original ?

Le grand chauve m'a regardé d'un air surpris et l'Eurafricain a bafouillé :

– Ben alors, j'croyais que les clones des domaines étaient censés ignorer toutes ces histoires de greffes et pourquoi ils…

– Oui, eh bien celui-là, il a l'air d'avoir à peu près compris le truc, on dirait, a coupé le chauve.

Puis, se tournant vers moi :

– Je te répète que c'est rien de grave. Moins tu en sauras de toute façon, mieux ça vaudra. Tu en sais déjà beaucoup trop, j'ai l'impression. Qui t'a raconté tout ça ?

– Un ami, ai-je rétorqué. Et quand il saura que vous m'avez enlevé…

Là je me suis arrêté, parce que je ne voyais pas trop quelle menace inventer. Les deux hommes se sont mis à rire.

– Un ami ? a dit le chauve. Tu parles sans doute de la fille au chien ? Eh bien, tu peux la remercier, ton amie, c'est grâce à elle que je t'ai retrouvé !

J'ai blêmi. Alaya, en qui j'avais une totale confiance... Se pourrait-il qu'elle m'ait trahi ? Alors, cela signifiait qu'on ne devait se fier à personne, même pas aux gens comme elle ou André. J'ai tâché de dissimuler mon trouble pour demander :

– Comment ça, grâce à elle ? Qu'est-ce que ça veut dire ?

Le chauve a pris un air satisfait. Il était visiblement très fier de lui et il ne s'est pas fait prier pour me raconter comment il était parvenu à me dénicher.

– Ce que ça veut dire ? Ha, ha ! D'abord que je suis un gros malin et un vrai pro. Les parents de ton original, le dénommé Philippe, ont fait appel à moi quand tu as disparu du Domaine au moment où on avait précisément besoin de toi. C'était une affaire qui promettait de rapporter un gros crédit, seulement il n'y avait pas la moindre piste. J'ignorais complètement où tu avais bien pu filer. Heureusement tu m'as facilité la tâche en tombant par hasard sur les copains de ton original. Comme leur fils n'a pas quitté son lit depuis des semaines, les parents ont vite soupçonné que c'était toi que ses copains avaient rencontré. Tu étais donc à Gayon ou dans les environs et cela limitait sérieusement le champ des recherches. Mais je ne t'aurais sans doute jamais retrouvé, ou alors beaucoup trop tard, sans ta copine et son chien.

J'ai serré les dents, involontairement. Qu'allait-il me révéler sur Alaya ?

Mais le chauve continuait son récit sans me regarder :

– Parce que tu vois, j'ai des dossiers de toutes les personnes signalées disparues, et je contacte les familles, au cas où elles auraient envie de payer un type comme moi pour retrouver l'oiseau envolé. Cette petite Africalandaise, avec son chien, je l'avais dans les fichiers. Je m'y étais pas intéressé, parce que personne ne semblait disposé à vider son crédit pour elle, mais je l'avais pas oubliée. J'ai ressorti le dossier et tout a marché comme sur des roulettes. Je suis allé voir la vieille qui avait recueilli la petite, une brave vieille pas bien futée que j'ai pas eu de mal à embobiner. Elle m'a tout raconté et m'a filé l'adresse de la villa abandonnée. On a foncé là-bas, Jackson et moi, et on a eu du pot, parce que ta copine et son chien sont sortis juste au moment où on arrivait. Ça nous a simplifié le travail.

Le grand chauve s'est interrompu, l'air de plus en plus content de lui. Moi, j'étais anéanti. Tous mes efforts pour lutter contre mon destin, depuis ma fuite du Domaine jusqu'au plan imaginé pour retrouver André, n'avaient servi à rien. Si seulement je ne m'étais pas fait voler mon sac dans le turbotube, si seulement j'avais été assez malin pour apprendre par cœur l'adresse de Sam… Que faire à présent ? J'étais pris au piège, coupé de mes amis, terrifié par ce qui m'attendait.

J'ai réussi à demander :

– On est à l'hôpital ?

Cette fois, c'est l'Eurafricain qui m'a répondu. Le chauve était perdu dans ses pensées, sans doute en train de rêver à la façon dont il allait dépenser le crédit que je lui rapporterais.

– Non, on est dans une planque à nous. Il faut qu'ils se préparent, à l'hôpital. On ira demain, je pense.

Et il a ajouté, d'un air où j'ai cru lire un peu de sympathie :

– T'en fais pas trop. Tu t'apercevras de rien, ils vont juste te prendre…

– Ferme-la ! a soudain jeté le chauve d'une voix sévère, il a rien à savoir là-dessus. File plutôt chercher de la bière et des alipacks, j'ai un creux !

On a mangé des tranches d'une nourriture au goût bizarre. J'y ai à peine touché ; je n'avais pas faim, je ressentais une nausée terrible, causée peut-être par la peur, ou par la drogue qu'on m'avait injectée. Après ça, le chauve m'a dit de m'étendre sur la banquette et de dormir. Il est resté dans un fauteuil pour me surveiller, tandis que l'autre partait dormir ailleurs. Je me suis assoupi très vite, sans doute encore sous l'effet du somnifère, mais j'ai très mal dormi : je me réveillais de temps à autre en sursaut, trempé de sueur, avant de replonger dans des cauchemars effroyables. Au réveil, j'étais épuisé.

15
L'hôpital

L'Eurafricain, le dénommé Jackson, m'a fait signe de me lever.

– Je peux rien te donner à manger, m'a-t-il dit, désolé, c'est les ordres. Mais si tu veux boire…

J'ai accepté le verre d'eau qu'il me tendait. Le grand chauve est alors entré en se grattant la joue.

– Allez, on se presse, a-t-il jeté d'un air énervé. On doit y être dans une heure au plus tard. Jackson, attache-le, on sera plus tranquilles.

Jackson a enroulé une sorte de ruban autour de moi et y a placé un verrou magnétique. Le haut du corps ainsi saucissonné, je n'avais guère de chance de m'enfuir. Ensuite ils m'ont enfoncé un casque à ordi intégré sur la tête et ont abaissé les visunettes. Des taches de couleurs douces se sont mises à danser lentement devant mes yeux tandis qu'une musique apaisante résonnait à mes oreilles. Une main m'a attrapé par l'épaule et a guidé mes pas hésitants. Je n'ai même pas essayé de résister : à quoi bon ?

On a marché un peu, descendu un escalier et je me suis retrouvé assis dans un véhicule qui s'est mis à glisser de plus en plus vite. Les images et la musique diffusées par mon casque me plongeaient dans un état de somnolence paisible. J'ai sursauté quand on m'a tiré hors de mon siège. On m'a poussé à marcher, puis au bout d'un moment on s'est arrêtés. Le ruban qui m'emprisonnait a été déverrouillé et on a retiré mon casque.

Je me trouvais dans une pièce remplie d'appareils médicaux. Le grand chauve et Jackson avaient disparu. À leur place se tenaient une femme, dont les cheveux mauves tirés en chignon accentuaient l'expression de sévérité, et un petit homme maigre à la barbe très noire et au regard perçant. Encore étourdi par la séance de relaxation que m'avait infligée le casque, je chancelais un peu, debout au milieu de la pièce.

– Étends-toi là, m'a ordonné la femme en désignant un grand fauteuil cerné de matériel électronique.

Elle a jeté un rapide coup d'œil à son écran de poignet avant d'ajouter sur un ton doucereux :

– Quatre Bleu, c'est ça ? Eh bien, Quatre Bleu, détends-toi, ne t'inquiète pas. On me dit que tu as fait des tiennes, que tu t'es égaré loin du Domaine. Tu sais que tu as couru d'immenses dangers sans peut-être t'en apercevoir ? Le monde extérieur aurait pu te broyer, t'engloutir. Mais à présent tu as retrouvé tes amis, et tout va se passer au mieux.

– Il va se passer quoi, exactement ? ai-je demandé d'une voix un peu tremblotante.

– On va d'abord s'assurer que tu vas bien, que ton séjour hors du Domaine n'a pas eu trop de conséquences fâcheuses sur ta santé. On va procéder à quelques petits contrôles et nettoyer ton organisme des virus et maladies qui ont pu l'atteindre. Après ça, tu te sentiras sans doute fatigué quelque temps, mais on te remettra vite sur pied et bientôt tu pourras retrouver des amis dans un domaine encore plus agréable que celui où tu étais. Alors détends-toi, laisse-nous faire.

Allongé dans le fauteuil qui moulait confortablement mon corps, je me sentais incapable de la moindre réaction. Tandis que les deux médecins connectaient divers appareils à mes biopuces, j'éprouvais une sorte de fureur contre cette inertie qui me paralysait. J'aurais voulu hurler, leur sauter au visage, renverser leurs machines et me ruer dehors, droit devant moi. Mais, même si j'en avais été capable, je n'aurais obtenu qu'un résultat : on m'aurait injecté un calmant pour me rendre inoffensif. Rester tranquille me permettait au moins de conserver les faibles moyens dont je disposais. J'ai donc fermé les yeux tout en tâchant de prendre l'air le plus indifférent possible.

Au bout d'un moment, la femme et le barbu ont fini par oublier qu'un être doué d'intelligence et de sensibilité les écoutait et se sont mis à échanger des commentaires sur mon état de santé :

– Il y a eu un sérieux déséquilibre nutritionnel, a dit l'homme, mais cela ne semble pas avoir trop perturbé l'organisme.

– Oui, il a très bien résisté au changement de régime, l'appareil digestif s'est remarquablement adapté, ça ne devrait pas poser de problème de ce côté-là.

– Pas d'invasion virale non plus, c'est parfait. Et au niveau microbien ?

Ils ont continué à parler ainsi de mon corps et je ne comprenais pas grand-chose, hormis que j'avais résisté sans dommage à mon séjour à Gayon. Mais la fin du dialogue était en revanche très claire.

– On va envoyer toutes les mesures complémentaires au décodage, a déclaré la femme. Ça devrait être fini ce soir et, si tous les résultats sont bons, on peut lancer l'intervention demain, qu'est-ce que tu en penses ?

– Oui, ce serait bien. L'autre est prêt et il vaut mieux ne pas le faire attendre davantage. Demain ce serait parfait. Je peux m'en charger. Vers 15 heures, salle B ?

– Très bien, je ferai préparer la salle et je préviendrai toute l'équipe.

Puis ils ont semblé se souvenir de mon existence :

– Tout va bien, Quatre Bleu, m'a dit la femme aux cheveux mauves. Tu t'es très bien tenu, alors tu vas avoir droit à un bon repas.

J'avoue que cette nouvelle m'a fait plaisir : mon estomac commençait à me torturer et c'était une sensation à laquelle je n'avais pu m'habituer depuis ma fuite du Domaine.

On m'a fait passer dans la pièce contiguë, où on m'a servi un repas léger et insipide. Puis on m'a fait prendre un bain, on m'a donné une tenue de nuit moelleuse et on m'a dit de m'allonger sur le lit à matelas massant. Une douce lumière orangée baignait la chambre et la même musique que celle du casque y résonnait en sourdine. Mais malgré ma fatigue et cette atmosphère apaisante, je me sentais atrocement angoissé. La pièce n'avait qu'une porte, que mes gardiens avaient solidement verrouillée en sortant. Il était absurde de songer à la fuite, j'étais pris au piège, fait comme un rat, pour reprendre une autre expression animalière que m'avait enseignée Alaya.

Alaya... Mon salut ne pouvait venir que d'elle. Peut-être avait-elle pu se débrouiller pour contacter André... Peut-être... Ma gorge s'est serrée en pensant à la vieille villa, à Buck, au sourire d'Alaya, à André. Qu'allait-il m'arriver ? Même si je sortais de l'opération sans trop de séquelles, quelle perspective m'attendait ? Être expédié dans un autre domaine d'où je ne pourrais jamais m'enfuir. Comment supporterais-je à nouveau cette existence de bête d'élevage docile ? Comment effacer de mon esprit tout ce que je savais désormais ?

Mais surtout... dans quel état allais-je me réveiller de l'opération ? Si je me réveillais... J'ai dû mordre mon vêtement pour ne pas crier de terreur et de désespoir.

16

Face à face

J'avais fini par sombrer dans une torpeur traversée de songes hideux lorsqu'un tumulte confus m'a fait sursauter.

La porte s'ouvrait. Dans la pénombre, comme jailli du plus profond de mes cauchemars, un monstre a soudain bondi sur moi. Son souffle puant est passé sur mon visage, ses pattes griffues m'ont piétiné le ventre et quelque chose de visqueux a glissé le long de ma joue. Au moment où j'allais m'évanouir, une voix familière a crié :

– Ça y est, Buck l'a trouvé, Buck l'a trouvé !

J'ai tout juste eu le temps de reconnaître la voix d'Alaya et de comprendre que le monstre n'était autre que son chien bien-aimé. À demi aveuglé par la lumière qui venait d'envahir la pièce, étourdi par les cris et les exclamations, j'ai vu surgir au-dessus de moi le visage sombre de mon amie, fendu d'un sourire éclatant:

–Eh bien, mon vieux Cat, on arrive juste à point, on dirait! Tu peux remercier Buck, en tout cas, sans lui on t'aurait pas trouvé si vite. Faut dire qu'il avait un indice bien odorant! s'est-elle exclamée en m'agitant sous le nez une de mes chaussettes sales.

J'ai écarté la chaussette malodorante, repoussé Buck qui s'obstinait à me couvrir la joue de bave et réussi à me redresser. Derrière Alaya se pressait un groupe d'adultes. Tous portaient l'uniforme des gores, tous sauf un, et celui-là c'était:

–André!

La tête me tournait.

Tout cela n'était-il pas une forme plus subtile de mon cauchemar? Vers quelle nouvelle péripétie affreuse allait-il basculer à présent? Mais c'était bien réel pourtant. André s'est assis près de moi et m'a parlé de sa voix rassurante:

–C'est fini, Quatre Bleu, tu es sauvé. Ne t'inquiète pas, je ne te lâcherai plus, maintenant. On va sortir d'ici pour commencer et je vais t'emmener chez Sam. Tu crois que tu peux marcher?

J'ai fait oui de la tête mais quand je me suis retrouvé debout, j'ai senti mes jambes flageoler. Trop d'émotions d'un coup, après des années d'une vie qui en avait été totalement dépourvue. André m'a soutenu. Les gores nous ont escortés le long d'un corridor capitonné où continuait à résonner une douce musique d'ambiance.

Nous avons débouché dans le hall. Un petit groupe s'y trouvait, d'où s'élevait un étrange gémissement. Quelqu'un était allongé sur une civière surmontée de tuyaux et de bouteilles de perfusion, et encadrée de deux gores. Une femme était penchée sur la civière. C'était d'elle que venait cette plainte continue. À notre approche, elle a relevé la tête et son regard est tombé sur moi : son gémissement s'est mué en un cri étouffé, tandis qu'elle me fixait avec une expression de stupeur et d'effroi.

L'homme qui se tenait à ses côtés ne m'a jeté qu'un regard furtif avant de détourner les yeux d'un air gêné. Je me suis dégagé de l'étreinte d'André et approché de la civière, sachant déjà qui j'allais y découvrir. Le choc n'en a pas moins été violent lorsque j'ai aperçu son visage, mon visage, si pâle, si creusé. Ses cheveux, du même blond que les miens, mais coupés beaucoup plus court, étaient collés à son crâne par la sueur.

À travers le drap je devinais son corps amaigri par la maladie. Il ne me voyait pas : ses yeux, cernés de grandes marques bleuâtres, étaient fermés. Il respirait avec un petit sifflement douloureux à entendre.

J'ai eu un élan vers lui, un élan de pitié, peut-être aussi d'amour. N'était-il pas un autre moi-même ? N'étais-je pas son double, son prolongement, la chair de sa chair ? Les uniformes des gores qui nous escortaient se sont interposés entre lui et moi tandis qu'André me tirait en arrière.

– Viens, ne restons pas là, a-t-il murmuré en m'entraînant.

Nous sommes sortis de l'hôpital que rien ne distinguait des autres immeubles de la rue, hormis une simple petite plaque sur laquelle était inscrit : « Centre de recherches médicales avancées ». Un taxi était arrêté à côté de plusieurs véhicules de gores. Un grand homme sec en a jailli et s'est précipité vers nous :

– Ça y est ? Vous l'avez récupéré ? C'est lui ? Ah oui, je le reconnais ! Salut, Quatre Bleu, je suis Sam. Venez, on va chez moi, j'ai déjà donné l'adresse aux gores pour qu'ils sachent où vous trouver. On y va ? Montez !

J'ai cherché des yeux Alaya et Buck, qui étaient restés quelques pas en arrière. André a compris avant que j'aie eu le temps d'ouvrir la bouche.

– Ne t'inquiète pas, Quatre Bleu, on emmène aussi ton amie et son espèce de loup. On verra après comment on s'arrange.

On s'est donc tous entassés dans le taxi, sans que le chauffeur y trouve rien à redire. Il était tellement étonné d'être mêlé à une affaire qui paraissait d'importance qu'il a même oublié de nous signaler que son véhicule était interdit aux chiens.

Alaya et André, pleins d'une excitation joyeuse, me promettaient en vrac un bon repas, le récit circonstancié de leur rencontre et de mon sauvetage, de longues vacances dans une réserve de nature et d'autres délices à venir.

Mais j'avais du mal à suivre leurs propos et à partager leur gaieté. Je me sentais épuisé, vidé de toute énergie, et devant mes yeux flottait encore l'image pitoyable de ce visage si semblable au mien. J'avais l'impression que plus jamais je ne pourrais me sentir insouciant, que j'avais perdu pour toujours le goût de vivre.

17

Liberté, amitié, fraternité

Il m'a fallu assez longtemps pour retrouver mon équilibre.

Après quelques jours passés tous ensemble dans le petit appartement de Sam, nous sommes partis nous installer, André et moi, dans un logement de la zone résidentielle C prêté par le GACH. Pendant la durée de l'enquête nous ne pouvions pas quitter Gayon. Alaya et Buck, eux, ont pu partir chez Nina, la fiancée d'André, éthologue dans une réserve de nature. Alaya m'a quitté sans trop de regrets, sachant qu'elle allait pouvoir rencontrer des tas d'animaux en compagnie d'une spécialiste. Pour moi, je dois l'avouer, la séparation a été plus dure, malgré la présence d'André. Mais je savais que je pouvais compter sur l'amitié d'Alaya et sur celle de Buck : après tout, c'était grâce à eux que j'étais libre à présent, comme Alaya se plaisait à me le raconter.

– Tu sais, Cat, quand je suis rentrée avec mes provisions, j'ai deviné tout de suite qu'il y avait un bogue. La serrure de la porte du jardin était cassée et Buck s'est mis à grogner et à s'agiter. J'ai vite compris qu'on t'avait enlevé. Tu serais pas parti sans me laisser un message, hein ? J'ai essayé de lancer Buck sur ta piste en lui faisant renifler ta chaussette : il a filé comme une flèche mais il n'est pas allé plus loin que le bout de la petite rue, où il s'est arrêté net. Cela signifiait que tes kidnappeurs étaient montés dans un véhicule à cet endroit et que je n'avais aucune chance de retrouver ta trace. J'ai un peu paniqué, puis j'ai pensé à ton rendez-vous avec André et j'ai décidé d'y aller. Je me suis fait une petite pancarte avec un chiffre 4 peint en bleu et j'ai pris le cititube pour rejoindre l'endroit fixé. Je me suis plantée devant le monument et, trois minutes après, un type observait ma pancarte d'un drôle d'air et voilà, c'était André ! C'était une fameuse idée, le coup de la pancarte, hein ?

J'ai volontiers reconnu que c'était une idée de génie. Mais André lui aussi avait joué un rôle essentiel dans ma délivrance. S'il s'était trouvé au rendez-vous, ce n'était pas un miracle, mais le résultat de ses propres démarches. Dès que Sam l'a prévenu que je n'étais pas arrivé à bon port, il a mis au point sa propre évasion du Domaine. Deux jours après moi, il a réussi à s'en échapper à bord d'un des glisseurs ultrarapides. Arrivé à Gayon, il a alerté les responsables du GACH. D'abord très contrariés par son départ précipité du Domaine, ces derniers ont fini par se radoucir devant les résultats de son enquête. Il a plaidé ma cause avec tant de chaleur et de persuasion qu'ils ont décidé de mobiliser l'association pour me retrouver.

Avant de quitter le Domaine, André avait réussi à pirater mon dossier et il avait découvert l'identité de mon original: Philippe Chevallier, domicilié dans la zone A de Gayon, le quartier chic. Le GACH a aussitôt placé la maison des Chevallier sous surveillance et a très vite eu la certitude que Philippe n'avait pas quitté sa chambre depuis des semaines. L'organisation de clonage n'avait donc pas encore réussi à mettre la main sur moi pour réaliser l'opération.

Mais les gores n'avaient pas d'informations me concernant; aucun des garçons errants qu'ils avaient eu l'occasion de rafler récemment ne correspondait à mon signalement. André ne parvenait pas à imaginer ce qui avait bien pu m'empêcher de rejoindre Sam, et il commençait à se résigner à l'idée qu'il ne me reverrait jamais. Quand le GACH lui a fait passer mon message, il s'est bien entendu précipité au rendez-vous et c'est ainsi qu'il a découvert Alaya et sa pancarte.

À partir de là, tout s'est accéléré. La surveillance autour de la résidence des Chevallier a été renforcée. André et Alaya ont insisté pour y participer et n'ont pratiquement pas quitté leur poste durant les vingt-quatre heures qui ont suivi. La première nuit il ne s'est rien passé, mais le jour suivant, à la tombée du soir, un véhicule d'urgence a emmené Philippe. Ils n'ont eu qu'à le suivre jusqu'à l'hôpital. Une fois l'endroit repéré, le GACH a alerté les gores qui ont forcé les portes de la clinique. Ensuite, aidés par le flair de Buck, ils ont fini par trouver la chambre où j'étais enfermé, mettant ainsi fin à mes cauchemars.

L'obstination de mes deux amis m'avait donc permis de retrouver la liberté et d'échapper à mon sort. Mais je n'étais pas encore vraiment libéré de cette histoire : d'abord il a fallu subir l'enquête des gores, répondre à d'innombrables et interminables interrogatoires, répéter inlassablement le même récit devant les juges, les avocats et les journalistes. Le procès a duré des mois, le scandale a été terrible. Tout le réseau clandestin de clonage humain d'Euroland a été démantelé, les domaines disséminés dans la région ont été fermés, de nombreux médecins se sont retrouvés en prison et plusieurs hommes politiques ont dû démissionner. Tous ceux qui avaient contribué à mettre en place cet élevage ignoble ont dû verser en dédommagement d'énormes sommes d'argent. Des programmes de réhabilitation pour les clones ont été mis en place. Les plus jeunes ont trouvé sans problème des familles adoptives, mais pour les plus âgés, déjà adultes, il a fallu créer des centres spéciaux: après tant d'années passées dans un domaine, ils ne seront probablement jamais des humains comme les autres.

Quant à moi, je ne pouvais m'empêcher d'être obsédé par la pensée de mon original. L'enquête avait révélé que Philippe souffrait d'une forme rare et gravissime de la maladie de Biérousk, contractée en buvant du lait contaminé. Parmi les très nombreuses personnes touchées par le virus, quelques-unes seulement avaient eu la malchance de développer la maladie sous sa forme la plus dangereuse. Philippe était de ceux-là. Seule une greffe de moelle osseuse pouvait le sauver d'une mort certaine, et c'est pour cela qu'on avait eu besoin de moi.

Je me suis renseigné sur les greffes de moelle osseuse et j'ai réfléchi sans en parler à qui que ce soit, même pas à André. En acceptant de me faire prélever un peu de moelle, je ne mettais pas ma vie en danger, et je sauvais celle de Philippe. Je n'ai pas hésité longtemps. Les liens qui m'attachaient à mon double étaient trop forts, quoique indéfinissables, pour que je le laisse mourir sans rien faire.

Quand j'ai annoncé ma décision à André, il n'a pas essayé de me dissuader, et m'a simplement dit que j'étais un vrai héros. Sur le moment je n'ai pas très bien compris le sens de ce mot, mais j'ai su qu'il m'approuvait. L'opération s'est déroulée discrètement et sans incident, deux mois environ après celle que j'avais failli subir contre mon gré. Philippe et ses parents ont demandé à me rencontrer, ils voulaient me remercier et proposaient de payer tous les frais de ma nouvelle éducation, indépendamment de la très forte amende à laquelle le tribunal allait les condamner. J'ai refusé. J'étais satisfait de savoir que la guérison de Philippe était désormais en bonne voie, mais je ne voulais plus rien avoir à faire avec eux. Qu'ils tâchent de m'oublier, c'est tout ce que je leur demandais. Pour ma part, je ne me sentais pas la force de me trouver face à Philippe. Bien du temps devrait s'écouler avant que je puisse céder au désir de revoir celui dont je tenais la vie et pour qui je ne pouvais m'empêcher d'éprouver ce qu'on appelle, je crois, un sentiment de fraternité.

Épilogue

Cela fait maintenant deux ans qu'André et moi avons quitté Gayon pour rejoindre Nina, Alaya et Buck dans la réserve de nature. André, qui est spécialiste de la forêt, s'occupe de la protection des arbres, tandis que Nina veille sur la faune. Ils sont mariés et semblent très heureux ensemble, pour autant que je puisse en juger. Bientôt ils auront un enfant et, comme André, je suis fasciné par le ventre rond de Nina, mais un peu jaloux aussi de ce bébé qui va naître et accaparer leur attention. Heureusement qu'il me reste Alaya, même si je dois évidemment partager son affection avec Buck. Elle et moi passons la semaine dans une école de Lorges, la ville la plus proche, et venons rejoindre

André et Nina le week-end. Ils ne sont pas vraiment pour nous des parents, ils sont trop jeunes pour cela, mais ils ont été nommés nos tuteurs, et leur affection solide et rassurante ne nous fait jamais défaut. Nina et Alaya s'entendent très bien car elles partagent le même amour des animaux. D'ailleurs Alaya a la ferme intention de devenir l'assistante de Nina.

Moi, je ne sais pas encore ce que je vais faire de ma vie. J'ai tant de choses à rattraper ! J'ai parcouru un long chemin depuis le Domaine mais il me reste beaucoup de découvertes à faire avant de pouvoir devenir moi-même. Parfois le découragement me gagne et j'ai l'impression que je n'y arriverai jamais.

Alors je regarde le sourire d'André, les bons yeux de Buck, le ventre rond de Nina, et je me dis que j'ai des amis.

Je regarde Alaya, son corps droit et fort, ses longs cils recourbés, ses lèvres pleines, et je reprends confiance en l'avenir.

Réserve de Lorges, le 15 avril 2045

Table des matières

DANS LA COLLECTION MILAN POCHE
JUNIOR

1 • *Le Jobard* de Michel Piquemal
2 • *Histoires pressées* de Bernard Friot
3 • *Pour l'amour d'un cheval* d'Alim Hekmat
4 • *Rock'n Loup* d'Hervé Debry
5 • *Le 13* de Gérard Moncomble
6 • *La Nuit de la sorcière* d'Hélène Montardre
7 • *L'Heure de la momie* de Claudine Roland
8 • *Romain Gallo contre Charles Perrault* de Gérard Moncomble
9 • *Le Mouton Marcel* de Jean-Luc Coudray
10 • *Les Oiseaux du Mont Perdu* de Michel Cosem
11 • *Le Satellite venu d'ailleurs* de Christian Grenier
12 • *Les Neiges rebelles de l'Artigou* de Michel Cosem
13 • *Fabuleux Romain Gallo* de Gérard Moncomble
14 • *Objectif Terre !* de Robert Boudet
15 • *Au pied du mur* d'Hélène Montardre
16 • *Le Pionnier du Nouveau Monde* de Michel Piquemal
17 • *La Bague aux trois hermines* d'Évelyne Brisou-Pellen
18 • *Le Commando des Pièces-à-Trou* de Pierre Coran
19 • *L'Heure du rat* de Gérard Moncomble
20 • *Nouvelles histoires pressées* de Bernard Friot
21 • *Moi, Félix, 10 ans, sans-papiers* de Marc Cantin
22 • *Les Aventuriers des 18 mondes* de Béatrice Bottet
24 • *Le Masque de la Mort Rouge*
et autres histoires extraordinaires Edgar Allan Poe
25 • *Hilaire, Hilarie*
et la gare de Saint-Hilaire d'Hélène Montardre
26 • *Georges Bouton, explomigrateur* de Gérard Moncomble

27 • *Le Seigneur des neuf soleils* de Christian Grenier
28 • *Le Parfum de la dame en noir* de Gaston Leroux
29 • *Cache-cache avec la mort* de Michel Amelin
30 • *Zelna contre les vampires* de Stéphanie Benson
31 • *Mon premier Verlaine* de Paul Verlaine
32 • *Qui que quoi quand la poésie* de Jean-Hugues Malineau
33 • *La Dernière Nuit du loup-garou* de Marc Cantin
34 • *Le Secret du scarabée d'or* de Jackie Valabrègue
35 • *Les Aventures de Sherlock Holmes, Tome 1* d'Arthur C. Doyle
36 • *Enfer et couches-culottes* de Brigitte Richter
37 • *C'est bien* de Philippe Delerm
38 • *Encore des histoires pressées* de Bernard Friot
39 • *Le secret de l'écrivain* de Roger Judenne
40 • *C'est toujours bien* de Philippe Delerm
41 • *La Cité barbare* de Gérard Moncomble
42 • *Clones en stock* de Pascale Maret
43 • *L'Enfant à l'étoile jaune* d'Armand Toupet
44 • *Jean de l'Ours* de Louis Espinassous
45 • *Un animal, des z'animots* de Jean-Pierre Andrevon
46 • *Le Mystère de la fille sans nom* de Marc Cantin
47 • *Les Aventures de Sherlock Holmes – Tome 2* d'Arthur C. Doyle
48 • *Mon premier Hugo* de Victor Hugo
49 • *La Fronde à bretelles* de Pierre Coran
50 • *J'ai sauvé le père Noël* d'Andreas Steinhöfel
51 • *Comment je suis devenu un fantôme* de Marie de Latude
52 • *Dans les bras du monstre* de Gérard Moncomble
53 • *Le Bûcher aux sorcières* d'Amélie Sarn-Cantin
54 • *Les vampires contre-attaquent* de Stéphanie Benson et Lisa Saby

55 • *Mauvaises fréquentations* d'Yves-Marie Clément
56 • *Ali Zaoua, prince de la rue* de Nathalie Saugeon
57 • *Les fils du diable* de Sylvie Bages
58 • *La Nuit des Pélicans* de Pierre Coran
59 • *Ce jeudi-là* d'Amélie Sarn-Cantin
60 • *Le Minus* d'Anne-Marie Desplat-Duc
61 • *Mon Premier Baudelaire* de Charles Baudelaire
62 • *Mission Toutankhamon* de Claudine Roland
63 • *Apprentie détective* de Françoise Jay d'Albon
64 • *Pressé, pressée* de Bernard Friot
65 • *Aliocha, cheval des steppes* de Jackie Valabrègue
66 • *La Menace* de Lucette Graas-Hoisnard
67 • *L'impossible mademoiselle Muche* de Christian Grenier
68 • *Les sept péchés du diable* d'Armand Toupet
69 • *Moi, Félix, 11 ans, Français de papier* de Marc Cantin
70 • *Mes premiers poètes* de Michel Piquemal
71 • *Esclave !* de Pascale Maret
72 • *La dernière nuit d'Alouine* d'Éric Sanvoisin
73 • *Mamie et moi* de Marc Cantin
74 • *La revanche des crapauds cracheurs* de Pascal Coatanlem
75 • *Le père Noël et les enfants du désert* de Jacques Vénuleth
76 • *À mots croisés* de Bernard Friot
77 • *La Prophétie des magicyans* d'Hélène Bréda
78 • *Comment je suis devenu un fantôme – Le Chant des sirènes* de Marie de Latude
79 • *Lycée Dracula* de Douglas Rees
80 • *Moi, Félix, 12 ans, sans frontière* de Marc Cantin
81 • *Lois et Nora – C'est un beau roman* de Michel Le Bourhis
82 • *L'Île de la lune* d'Yves Pinguilly
83 • *Le Sorcier de Babylone* d'Alain Paris

84 • *Mon premier Rimbaud* de Michel Piquemal
85 • *Un foulard pour Djelila* d'Amélie Sarn
86 • *Une saison tout en blanc* d'Éric Sanvoisin
87 • *Le Secret d'Isis* de Claudine Roland
88 • *L'Attaque des Morts Vivants* de Marie de Latude
89 • *La Table de feu* d'Arthur Ténor
90 • *Mon premier La Fontaine* de Michel Piquemal
91 • *Pressé? Pas si pressé!* de Bernard Friot
92 • *Habib Diarra, champion du monde* de Bruno Paquelier